Seren Iaith 3

llawlyfr adolygu cywiro iaith

Nona Breese a Bethan Clement

Cyhoeddwyd yn 2014 gan Atebol Cyfyngedig, Adeiladau'r Fagwyr, Llanfihangel Genau'r Glyn, Aberystwyth, Ceredigion SY24 5AQ
01970 832 172
www.atebol.com

ISBN: 978-1-909666-22-1

Golygwyd gan Gareth Bevan ac Eirian Jones
Dyluniwyd gan Stiwdio Ceri Jones, stiwdio@ceri-talybont.com
Rheolwyd y gwaith gan Glyn Saunders Jones
Noddwyd gan Lywodraeth Cymru

Cydnabyddiaethau
Diolch i Rhiannon Jenkins, AdAS am bob gair o gyngor a charedigrwydd yn ystod cyfnod paratoi'r gyfrol hon ac i AdAS am noddi'r fenter.

Cyflwyniad

Cafodd y gyfrol *Seren Iaith* dderbyniad gwresog gan ddysgwyr ac athrawon ledled Cymru a mawr fu'r galw am olynydd. Dyma felly fynd ati i gyhoeddi *Seren Iaith 2* gan ddilyn fformat llwyddiannus y gyfrol gyntaf.

Unwaith eto, ceir dwy adran. Mae'r gyntaf yn cynnwys esboniad ar bwynt gramadegol gydag ymarfer yn dilyn er mwyn atgyfnerthu'r dysgu. Mae'r ail adran yn cynnwys ymarferion sy'n cynnwys amrywiaeth o bwyntiau gramadegol.

Mae'r tasgau amrywiol yn cynnwys cywiro, llenwi bylchau, adnabod gwahanol fathau o dreigladau, newid person neu amser y ferf ac ati. Mae'r ymarferion gwahaniaethol yn y ddwy adran yn cynnwys brawddegau unigol ac ystod o ffurfiau fel e-byst, hysbysebion, llythyron, erthyglau.

Nod y llyfr hwn eto yw gwella sgiliau ieithyddol oedolion a phobl ifanc Cymru, yn Gymry Cymraeg ac yn ddysgwyr ac unwaith eto, targedir y gwallau mwyaf cyffredin. Mae atebion posibl i bob tasg wedi eu cynnwys yng nghefn y llyfr er mwyn hybu dysgu annibynnol.

Yn ogystal, mae *ap* hefyd wedi cael ei baratoi. Bydd modd defnyddio'r adnodd digidol hwnnw ar sawl llwyfan gwahanol gan gynnwys *i-pad*, *Android,* bwrdd gwyn neu sgrin deledu rhyngweithiol a ffôn symudol. Am fwy o fanylion am yr *ap* ewch i wefan Atebol sef **www.atebol.com**.

Cynnwys

Chwilio'r gwallau 1

Rhifolion 1

> **'Un'**
> Mae rhifolion yn cael eu dilyn gan enwau unigol:
> ● 'un' + enw benywaidd ac eithro enwau benywaidd sy'n dechrau â 'll' a 'rh' = treiglad meddal, e.e. un ferch, un llong
> ● 'un' + enw gwrywaidd = dim treiglad, e.e. un bachgen.

Beth yw ffurf gywir y gair mewn cromfachau?

1. Mae gen i ddwy chwaer ac un (brodyr).

2. Mae gen i ddau grwban ac un (cath).

3. Rwyf wedi darllen un (pennod) o'r nofel newydd.

4. Dim ond un (pennill) sydd gen i i'w ddysgu.

5. Oes un (gwers) arall gennym cyn cinio?

6. Mae ganddyn nhw un (merch) a dau fab.

7. Rhedais i am ddwy filltir ond dim ond am un (milltir) rhedodd e.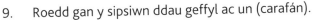

8. Rwy'n mynd i brynu un (bwrdd) a dwy gadair newydd.

9. Roedd gan y sipsiwn ddau geffyl ac un (carafán).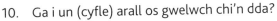

10. Ga i un (cyfle) arall os gwelwch chi'n dda?

Rhifolion 2

Beth yw'r gair cywir am 2 yn y brawddegau hyn?

1. Mae'n rhaid i ni ddarllen 2 nofel cyn y Nadolig.

2. Gwelon ni'r 2 gi'n neidio i mewn i'r car.

3. Cafodd y 2 chwaraewr eu hanfon o'r cae am ymladd.

4. Roedd 2 wers gyda ni cyn cinio.

5. Bydd y 2 hen ddyn yn teithio i'r dref ar y trên.

6. Bydd 2 gyfrifiadur newydd yn y dosbarth erbyn fory.

7. Oeddet ti wedi gweld y 2 fwydlen?

8. Roedd 2 dad-cu a 2 nain ganddi.

9. Oedd 2 raglen Gymraeg ar y teledu neithiwr?

Rhifolion 3

> ### 'Tri'/'Tair'
> Mae rhifolion yn cael eu dilyn gan enwau unigol:
> - 'tair' + enw benywaidd = dim treiglad, e.e. tair cadair
> - 'tri' + enw gwrywaidd = treiglad llaes, e.e. tri chwpwrdd.
> Dydy 'tri' a 'tair' ddim yn treiglo ar ôl y fannod ('y'/''r'),
> e.e. y tair cadair a'r tri chwpwrdd.

Beth yw'r gair cywir am 3 yn y brawddegau hyn?
Treiglwch y gair nesaf os oes angen.

1. Oes rhaid i ti astudio 3 cerdd wythnos nesaf?

2. Doedd dim rhaid i ni ddysgu'r 3 pennill.

3. Gwelon ni'r 3 ci'n neidio i mewn i'r car.

4. Rydym wedi cael 3 bwrdd gwyn newydd i'r ysgol.

5. Clywais eu bod nhw wedi adeiladu 3 tŷ newydd.

6. Roedd y 3 chwaer a'r 3 brawd yno.

7. Roedd 3 eglwys yn y dref ac roedd 3 capel yno hefyd.

8. Mae'r ysgol yn mynd i gael 3 telyn newydd.

Rhifolion 4

'Pedwar'/'Pedair'

Mae rhifolion yn cael eu dilyn gan enwau unigol:
- Dydy 'pedwar' a 'pedair' ddim yn achosi treiglad.
- Dydy 'pedwar' a 'pedair' ddim yn treiglo ar ôl y fannod ('y'/''r'), e.e. y pedair merch a'r pedwar bachgen.

Beth yw'r geiriau cywir am 4 yn y brawddegau hyn?

Treiglwch y gair nesaf os oes angen.

1. Byddaf i'n darllen 4 cerdd gan Iwan Llwyd heno.
2. Roedd 4 athro newydd yn yr ysgol achos gadawodd 4 athrawes.
3. Bydd rhaid i fi weithio am 4 awr heno achos mae llawer o waith gen i.
4. Ga i fenthyg 4 punt gennyt ti os gweli di'n dda?
5. Oes 4 teledu yn eu tŷ nhw?
6. Mae 4 car yn ein tŷ ni ac mae 4 carafán yno hefyd.
7. Mae hi wedi darllen 4 llyfr yr wythnos hon.
8. Roedd gan yr hen wraig 4 cannwyll ar y silff ben tân.

11

Rhifolion 5

> **'Pum'/'Pump', 'Chwech'/'Chwe'**
> - Wrth ddefnyddio 5 o flaen enw unigol, 'pum' (nid 'pump')
>   yw'r ffurf gywir.
> - Wrth ddefnyddio 6 o flaen enw unigol, 'chwe' (nid 'chwech')
>   yw'r ffurf gywir.
> - Mae treiglad llaes ar ôl 'chwe', e.e. chwe char.
> - Mae 'blynedd', 'blwydd' a 'diwrnod' yn treiglo'n drwynol ar
>   ôl 'pum', e.e. pum mlynedd.

Beth yw'r geiriau cywir am 5 a 6 yn y brawddegau hyn?
Treiglwch y gair nesaf os oes angen.

1. Oes 5 ystafell wely yn y tŷ newydd?

2. Roedd 6 ceffyl yn y cae gyferbyn â'r coleg.

3. Bydd 5 disgybl newydd yn dod i'r dosbarth ar ôl y gwyliau.

4. Ga i fenthyg 6 ceiniog gennyt ti?

5. Mae ganddi hi 6 traethawd arall i'w hysgrifennu eleni.

6. Mae angen dis a 6 cownter arnon ni i chwarae'r gêm.

7. Byddaf i'n gweld 5 o raglenni ar y teledu heno.

8. Mae'r bws yn gadael am 5 o'r gloch y bore.

9. Mae hi wedi gweithio yno am 5 blynedd.

10. Enillodd o'r ras 6 milltir yn hawdd iawn.

Rhifolion 6

> **Rhifolyn + 'o'**
> Pan mae rhifolyn yn cael ei ddilyn gan enw lluosog, rhaid defnyddio'r patrwm yma:
> - rhifolyn + 'o' + enw lluosog sy'n cymryd treiglad meddal, e.e. deg o ferched, pump o fechgyn.

Beth yw ffurf gywir y gair mewn cromfachau?

1. Bydd pump o (myfyriwr) newydd yn ein dosbarth ni ar ôl y gwyliau.
2. Mae'n rhaid i ni ddarllen deg o (llyfr) cyn diwedd y tymor.
3. Roedd tri o (plentyn) ganddyn nhw.
4. Oes chwech o (ceffyl) yn y cae yma?
5. Bydd hi'n prynu pedair o (pêl) newydd cyn y gystadleuaeth.
6. Oedd dwy o'r (merch) yn hwyr y bore 'ma?
7. Dim ond tri o'r (chwaraewr) sydd wedi chwarae dros Gymru.
8. Mae tair o (merch) a dau o (bachgen) yn y grŵp newydd.
9. Mae chwech o (cwrt tennis) yn y Ganolfan Hamdden.

Rhifolion 7

Ydych Chi'n Cofio?
Cywirwch y brawddegau hyn.

1. Rwy wedi gweld dau ffilm yn y sinema newydd.

2. Roedd y dair drama'n debyg iawn i'w gilydd.

3. Ydy'r pump carcharor wedi dianc o'r carchar?

4. Gwariais i ugain punt ar bedwar anrheg Nadolig.

5. Roedd chwech dyn yn ceisio dianc rhag yr heddlu.

6. Oes tri o bechgyn wedi eu hanfon at y pennaeth?

7. Fydd y dau ddyn yn cael triniaeth am gyffuriau?

8. Bydd pedwar cystadleuwyr yn rhedeg yn y ras.

9. Mae o leiaf un diod ar ôl yn yr oergell.

10. Mae hi wedi ennill pedwar cystadleuaeth yn ystod y flwyddyn.

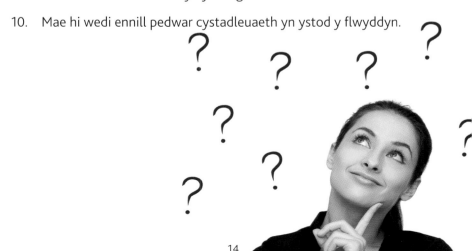

Rhifolion 8

> ## Ydych Chi'n Cofio?
> Ysgrifennwch y canlynol mewn geirirau.
> Cofiwch dreiglo os oes angen.

1. 1 dyn

2. 2 teledu

3. 1 cadair

4. 2 cath

5. 4 brawd

6. 3 cwpwrdd

7. 3 merch

8. 4 dynes

9. 6 ceffyl

10. 5 gwers

15

Dyddiadau, Amser ac ati 1

Dyddiadau

● Mae'n rhaid defnyddio'r trefnolion i nodi dyddiadau, e.e. y nawfed ar hugain o Fehefin/Mehefin y nawfed ar hugain.

● Cofiwch fod treiglad meddal ar ôl 'o', e.e. y degfed o Fawrth.

Ysgrifennwch y dyddiadau.

1. Mae'r arholiad ar yr 28 o Fai.
2. Cynhelir y clyweliadau ar y 18 o Chwefror.
3. Bydd y ffair hydref yn cael ei chynnal ar yr 31 o Hydref.
4. Clywais fod gweithdy celf yma ar yr 2 o Fehefin.
5. Bydd fy mhen-blwydd i ar y 19 o Orffennaf.
6. Wyt ti'n gwybod fy mod i'n mynd ar fy ngwyliau ar y 4 o Awst?
7. Cofiwch alw heibio ar y 5 o Ionawr.
8. Fydd dydd Gwener y 13 o Dachwedd yn anlwcus i fi eleni?
9. Bydd rhaglen deyrnged iddi ar y teledu ar y 1 o Fawrth.
1.0 Suddodd y Titanic ar y 15 o Ebrill 1912.

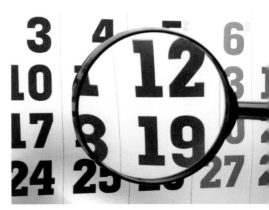

Dyddiadau, Amser ac ati 2

> **Dyddiadau**
> Mae'n rhaid defnyddio'r trefnolion i nodi dyddiadau,
> e.e. y nawfed ar hugain o Fehefin/Mehefin y nawfed ar hugain.
> Cofiwch fod treiglad meddal ar ôl:
> - 'ar', e.e. ar Fawrth y degfed.
> - 'o', e.e. y degfed o Fawrth.

Ailysgrifennwch y brawddegau yma gan ddefnyddio dull arall o nodi'r dyddiad yn ffurfiol, e.e. y degfed o Fai > Mai y degfed.

1. Mae'r arholiad ar yr wythfed ar hugain o Fai.

2. Cynhelir y clyweliadau ar y deunawfed o Chwefror.

3. Bydd y ffair hydref yn cael ei chynnal ar yr unfed ar ddeg ar hugain o Hydref.

4. Clywais fod gweithdy celf yma ar yr ail o Fehefin.

5. Bydd fy mhen-blwydd i ar y pedwerydd ar bymtheg o Orffennaf.

6. Wyt ti'n gwybod fy mod i'n mynd ar fy ngwyliau ar y pedwerydd o Awst?

7. Cofiwch alw heibio ar y pumed o Ionawr.

8. Fydd dydd Gwener y trydydd ar ddeg o Dachwedd yn anlwcus i fi eleni?

9. Bydd rhaglen deyrnged iddi ar y teledu ar y cyntaf o Fawrth.

10. Suddodd y Titanic ar y pymthegfed o Ebrill 1912.

Dyddiadau, Amser ac ati 3

Amser

Mae'n rhaid defnyddio'r rhifau traddodiadol wrth ddweud yr amser, e.e. ugain munud wedi, pum munud ar hugain i.

Mae treiglad meddal yn dilyn:

- 'i', e.e. pum munud i ddau
- 'am', e.e. am ddau o'r gloch.

Mae treiglad llaes yn dilyn:

- 'tua', e.e. tua phedwar.

Ysgrifennwch yr ymadroddion canlynol yn llawn.

1. erbyn 2.30

2. cyn 3.10

3. am 4.00

4. tua 11.45

5. tua 5.00

6. erbyn 1.35

7. am 9.40

8. erbyn 11.25

9. cyn 6.20

10. am 9.55

Dyddiadau, Amser ac ati 4

Arian

- Mae'r geiriau 'ceiniog' a 'punt' yn fenywaidd, felly mae'n rhaid defnyddio rhifolion benywaidd gyda nhw, e.e. pedair punt.
- Cofiwch fod 'dwy' yn achosi treiglad meddal.
- Mae treiglad llaes yn dilyn 'na' a 'tua'.

Ysgrifennwch yr ymadroddion canlynol yn llawn.
Byddwch yn ofalus gyda'r treiglo.

1. o leiaf £1.00

2. dim mwy na £3.70

3. llai na £1.20

4. mwy na £4.25

5. tua £3.80

6. tua £2.50

7. o leiaf £3.50

8. am £2.80

9. mwy na £5.40

10. am £7.60

Dyddiadau, Amser ac ati 5

Canrannau

Rydym yn defnyddio'r ymadrodd 'y cant' i ddangos canrannau yn y Gymraeg, e.e. 33% = tri deg tri y cant.

Ysgrifennwch y canrannau canlynol yn llawn.

1. 25%

2. 53%

3. 17%

4. 12%

5. 20%

6. 13%

7. 75%

8. 67%

9. 54%

10. 99%

Dyddiadau, Amser ac ati 6

Ffracsiynau
Mae termau penodol ar gyfer y ffracsiynau sy'n cael eu defnyddio amlaf, e.e. hanner, chwarter. Ar gyfer ffracsiynau eraill rydym yn defnyddio'r patrwm – ___ r(h)an o ___, e.e. dwy ran o bump ($\frac{2}{5}$). Gan fod 'rhan' yn fenywaidd, rhaid defnyddio rhifolyn benywaidd o'i flaen.

Ysgrifennwch y ffracsiynau canlynol yn llawn.

1. $\frac{1}{3}$

2. $\frac{1}{2}$

3. $\frac{2}{3}$

4. $\frac{1}{4}$

5. $\frac{3}{4}$

6. $2\frac{1}{2}$

7. $\frac{7}{8}$

8. $5\frac{1}{4}$

9. $6\frac{3}{4}$

10. $\frac{1}{10}$

Dyddiadau, Amser ac ati 7

Pwyso a mesur
Mae'r rhan fwyaf o unedau pwyso a mesur yn wrywaidd felly rhaid defnyddio ffurf wrywaidd y rhifolion. Cofiwch fod 'milltir' yn fenywaidd.

Ysgrifennwch y canlynol yn llawn. Treiglwch os oes angen.

1. tua 3 pwys

2. o leiaf 4 kg

3. 69 m

4. 110 km

5. 50 cm

6. dros 20 g

7. llai na 6 kg

8. mwy na ½ m

9. cymaint â 1,000 g

10. 2 milltir

Dyddiadau, Amser ac ati 8

Ydych Chi'n Cofio?

Ailysgrifennwch y darn yma gan roi geiriau yn lle'r ffigurau.
Cofiwch dreiglo os oes angen.

Cafodd yr efeilliaid eu geni yn yr ysbyty a oedd 20 milltir o'u cartref. Daethant i'r byd ar yr 28 o Orffennaf am 6.30 y bore. Y ferch gafodd ei geni yn gyntaf. Roedd hi'n pwyso 5 pwys 2 owns. Yna, daeth y bachgen a oedd yn pwyso 4 pwys 10 owns. Bydd y 2 ohonynt yn aros yn yr ysbyty gyda'u mam am 5 diwrnod arall. Yna, bydd y teulu bach o 4 yn mynd adref.

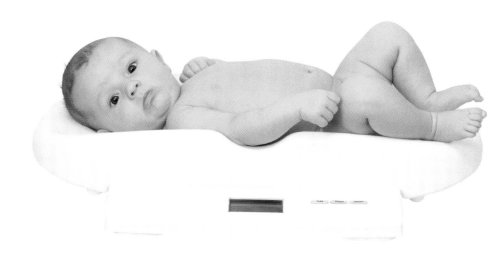

Sillafu 1

Mae un gair wedi ei gamsillafu ym mhob brawddeg. Cywirwch ef.

1. Echddoe oedd diwrnod pen-blwydd fy mrawd.

2. Doedd Wil ddim yn heuddu ennill.

3. Safai'r merchaid mewn rhes y tu allan i'r siop.

4. Chlywodd neb mohono'n gwaeddi.

5. Mae pobl ifanc, hydnod, yn hoffi cinio dydd Sul.

6. Doedd dim posibl dyall ei lawysgrifen.

7. Roedd y gath yn cuddiad yn ofnus y tu ôl i'r cwpwrdd.

8. Dechraeodd y gig am hanner awr wedi saith o'r gloch.

9. Pan oedd Abdul yn chwarau criced torrodd ei goes.

10. Yn anffodus, dydy Marged ddim yn poeni am ei gwaith.

Sillafu 2

Rhowch 'u' neu 'y' yn y bylchau yn y geiriau hyn.

1. Awd_r

2. Mel_s

3. I fyn_

4. Hap_s

5. C_r pen

6. Cysg_

7. Derb_n

8. Gwne_d

9. Penderfyn_

10. Sym_d

Sillafu 3

Dewiswch 'u', 'y' neu 'i' i lenwi'r bylchau.

1. Disg_n

2. Gwen_

3. Llin_n

4. Myneg_

5. Tip_n

6. Ysbyt_

7. Dwe_d

8. Diff_g

9. Rhestr_ (*lists*)

10. Te_lu

Sillafu 4

> ● Yn aml bydd 'n' ac 'r' yn dyblu pan fyddant yn y sill olaf ond un (y goben). Pan fydd y gair yn cael ychwanegiad bydd un 'n' neu un 'r' yn diflannu a bydd 'h' yn cymryd ei lle.
>
> ● Pan fydd 'an' yn cael ei ddefnyddio i negyddu gair bydd hyn yn digwydd:
>
> an + t > annh
>
> an + tr > anhr
>
> an + d > ann

Mae rhai o'r geiriau a ganlyn yn gywir ac eraill yn anghywir. Cywirwch y rhai anghywir. Yn y drydedd golofn ysgrifennwch y gair gwreiddiol.

	Cywir	Y gair gwreiddiol
canhwyllau		**cannwyll**
ffynnonau		
cyrrhaeddodd		
anhebyg		
cynhaliwyd		
annerbyniol		
synnhwyrol		
annhrugarog		
cynnwysion		
cynhesu		
tynhau		

Sillafu 5

> Dyma dair rheol gyffredinol wrth sillafu enwau lleoedd (ond mae eithriadau!).
> Mae angen cysylltnod pan fo'r enw lle yn
> - unsill + unsill a'r brif acen ar y sillaf olaf, e.e. Rhyd-ddu
> - lluosill + unsill a'r brif acen ar y sillaf olaf, e.e. Eglwys-fach
> - enw + 'y'/'yr' + enw unsill, e.e. Betws-y-coed

Ysgrifennwch y rhain yn gywir.

	CYWIR
Aberfan	
Talybont	
Pibwrlwyd	
Rhosgoch	
Penygroes	
Nantycaws	
Cwmgors	
Rhesycae	
Pantglas	
Bwlchyffridd	

Sillafu 6

> Does dim angen cysylltnod ac mae'r enw yn un gair pan fo'r enw lle yn
> - unsill + lluosill, e.e. Brynaman
> - lluosill + lluosill, e.e. Castellnewydd
> - enw + 'y'/'yr' + enw lluosill, e.e. Cerrigydrudion

Mae'r arwyddion ffyrdd yma yn anghywir! Cywirwch nhw!

1. Pentre Foelas

2. Eglwys newydd

3. Cwm-yr-eglwys

4. Llwyn-y-pia

5. Pen-y-mynydd

6. Tre degar

7. Llan badarn

8. Pentre Felin

9. Traws-goed

10. Traws fynydd

Sillafu 7

'y' sy'n dilyn 'w' pan fo'r sain yn 'u'.

Mae un camgymeriad ym mhob brawddeg.

1.   Nid yw Josie yn bwuta digon o lysiau.
2.   Dylai pawb gael pum ffrwuth y dydd.
3.   Buom yn gwilio rasys ceffylau yng Nghaer.
4.   Ras wy ar lwu oedd fy ffefryn i ers talwm.
5.   Welodd Wil mo'r llyfr er ei fod o dan ei drwun.
6.   Maen nhw'n dweud bod y lliw gwurdd yn anlwcus.
7.   Aethom ar ein gwiliau i Ffrainc llynedd.
8.   Collodd hi ei gwunt wrth redeg.
9.   Doeddwn i ddim yn gwaebod yr ateb i'r cwestiwn.
10. Cawsom hwul yn Alton Towers!

Sillafu 8

Ni fydd 'n'/'r' byth yn dyblu o flaen y terfyniadau... -wyr, -iad, -ion, e.e. ysgrifennwr > ysgrifenwyr.

Mae pump o'r rhain yn gywir a phump yn anghywir. Rhowch nhw yn y colofnau cywir a chywirwch y rhai anghywir.

1. dyfynniad
2. annwyd
3. gwynnion
4. torrwyr
5. gorchmynnion
6. gorffennwyd
7. gwynnach
8. cynllunnwyr
9. cacennau
10. calonnau

CYWIR	ANGHYWIR	WEDI EU CYWIRO

Sillafu 9

Ydych Chi'n Cofio?
Cywirwch y gwallau yn y Bwletin Newyddion.

Yfory, dydd Llyn, Gorffenaf 6ed, budd criw o ferchaid o Glwb Golff Bangor yn cerdded o Dalybont i Wrecsam, taith o tya chwe deg milltir. Maent yn gobeithio gwnaed y daith mewn dau ddiwrnod. Byddant yn codi arian at Ysbyty Gwynedd a Hosbis yn y Cartref. Os ydych yn dymuno cyfranu anfonwch siec neu arian i Swuddfa'r Clwb Golff, Stryd y Fenai, Bangor, Gwynedd.

Treigladau 1

Y treiglad meddal
Dyma'r llythrennau sy'n newid:

c > g	p > b
t > d	g > -
b > f	d > dd
ll > l	m > f
rh > r	

Mae 'rhy' yn achosi treiglad meddal.

Rhowch 'rhy' o flaen yr ansoddeiriau hyn. Treiglwch yn ôl yr angen.
Mae'r un cyntaf wedi ei wneud i chi.

tal	rhy **dal**
llawn	rhy
gwyntog	rhy
rhwydd	rhy
budr	rhy
lliwgar	rhy
tew	rhy
cwynfanllyd	rhy
prysur	rhy
drwg	rhy
mawr	rhy

Treigladau 2

> **Y treiglad meddal**
> Dyma'r llythrennau sy'n newid.
> c > g
> p > b
> t > d
> g > -
> b > f
> d > dd
> ll > l
> m > f
> rh > r

Lliwiwch/tanlinellwch bob enghraifft o dreiglad meddal yn y paragraff yma.

Aeth e i'w waith erbyn naw o'r gloch y bore ac ar unwaith aeth i ddarllen y negeseuon oedd wedi cyrraedd dros nos. Ymatebodd i ddwy neges frys ar unwaith gan ei fod yn credu bod ymateb yn brydlon yn gwrtais ac yn dda i'r busnes. Yna, aeth i'r cyfarfod tîm am ddeg o'r gloch.

Treigladau 3

Rhowch ffurfiau cywir y geiriau mewn cromfachau. Gwnewch unrhyw newidiadau eraill sy'n angenrheidiol, e.e. yn > yng.

1. Bydd hi'n mynd i'r gynhadledd yn (Dolgellau).
2. Brifais fy (cefn) yn chwarae rygbi.
3. Pum (diwrnod) yn ôl, roeddwn yn yr ysbyty.
4. Roedd y sioe yn (Caerdydd).
5. Ble mae fy (diod) i?
6. Bydd fy merch fach yn wyth (blwydd) oed wythnos nesaf.
7. Mae'n rhaid i mi dorri fy (gwallt) fory.
8. Mae fy (cyfrifiadur) yn hen iawn.
9. Mae hi'n byw yn (Caeredin) rŵan.
10. Collais fy (pres) i gyd ar y ceffylau.

Treigladau 4

> **Y treiglad trwynol**
> Dyma'r llythrennau sy'n newid.
> c > ngh
> p > mh
> t > nh
> g > ng
> b > m
> d > n

Tanlinellwch bob enghraifft o dreiglad trwynol yn y darn yma.

Mae fy nghartref newydd yng Nghaerdydd. Symudais yno ddau fis yn ôl efo fy mhartner, Jo. Cyn hynny, roeddwn i wedi byw ym Mangor am bum mlynedd. Daeth fy nheulu i'n gweld bythefnos yn ôl ac mi arhoson nhw am ddwy noson. Yn anffodus, doedd fy mrawd i ddim efo nhw achos roedd o'n sefyll arholiadau pwysig yng Ngholeg y Waun. Roedd yr arholiadau yn para am bum niwrnod ac yna roedd yn mynd i gwrdd â'i gariad ym Mhortmeirion.

Rwy'n hoffi'r Treiglad Trwynol!

Treigladau 5

Y treiglad llaes
Dyma'r llythrennau sy'n newid.
c > ch
p > ph
t > th

Rhowch ffurfiau cywir y geiriau mewn cromfachau.

1. (Prynais) i ddim byd yn y siop.

2. Es i i'w (tŷ) hi i gael swper neithiwr.

3. Gwn ei fod o'n ei (caru) hi.

4. Costiodd y blodau fwy na (pymtheg) punt.

5. Roedd ei hwyneb mor llyfn â (pen-ôl) babi.

6. Siaradais â (pennaeth) yr amgueddfa.

7. Roedd tua (cant) o bobl yno.

8. Rwyf wedi dweud yr un peth wrthyt drosodd a (trosodd).

9. Cafodd aelodau a (cyfeillion) y cwmni drama lythyr.

10. Aeth Eleri â'i (ci) am dro.

Treigladau 6

Ydych Chi'n Cofio?

Tanlinellwch bob treiglad meddal, rhowch gylch am bob treiglad trwynol a sgwâr ar bob treiglad llaes.

Wythnos nesaf, bydd bwyty newydd yn agor ei ddrysau yn fy nhref enedigol. Dim ond y cynnyrch lleol gorau fydd yn cael ei goginio yno yn ôl y rheolwraig. Mae hi'n awyddus i gadw'r prisiau mor rhesymol â phosibl, ond bydd hyn yn dibynnu ar ei chwsmeriaid. Os aiff digon yno, bydd y prisiau yn fwy rhesymol. Yn fy marn i, mae cynnig cynnyrch lleol organig yn sicr o ddenu oherwydd y dyddiau hyn, mae pobl yn ymwybodol iawn o'r amgylchedd a'r pellter y mae'r bwyd wedi teithio.

Rhagenwau a Threigladau 1

Y treiglad meddal

Mae 'dy' ac 'ei' gwrywaidd yn achosi treiglad meddal. Dyma'r llythrennau sy'n newid.

c > g
p > b
t > d
g > -
b > f
d > dd
ll > l
m > f
rh > r

Dewiswch y gair cywir i lenwi'r bwlch ym mhob brawddeg.

1. Gwelais i ei brawd/mrawd/frawd e yn y ganolfan hamdden.
2. Mae dy mam/fam di newydd adael yr ysbyty.
3. Ydy dy teulu/deulu/theulu di yn byw yn Aberaeron?
4. Mae ei taid/daid/thaid o'n byw yng Ngogledd Iwerddon.
5. Torrodd e ei coes/goes/choes ar y cwrt sboncen.
6. Ydy dy cerdd/gerdd/cherdd di'n ddigon da i ennill gwobr?
7. Fydd dy llun/lun di yn y papur newydd fory?
8. Ble mae ei cyfrifiadur/gyfrifiadur/chyfrifiadur e?
9. Ble mae dy gwaith/waith cartref di?
10. Pryd cafodd dy ci/gi/chi di ei daro gan gar?

Rhagenwau a Threigladau 2

Y treiglad trwynol

Mae 'fy' yn achosi treiglad trwynol. Dyma'r llythrennau sy'n newid.

c > ngh
p > mh
t > nh
g > ng
b > m
d > n

Cywirwch y gwallau treiglo yn y darn yma.

Ces i fy cyfle cyntaf gan fy tad. Rwy'n ei gofio'n fy perswadio i ymuno ag ef yn y busnes teuluol ond ar y pryd roedd hynny'n groes i fy dymuniad i. Fy barn i oedd y dylwn i symud i ffwrdd i fyw er mwyn ehangu fy gorwelion. Roedd fy cefnder wedi mynd i'r coleg yn Llundain ac roedd fy brawd wedi mynd i weithio efo fy taid ac aelodau eraill fy teulu.

Rhagenwau a Threigladau 3

Y treiglad llaes
Dyma'r llythrennau sy'n newid:
c > ch
p > ph
t > th
Mae 'ei' benywaidd yn achosi treiglad llaes, e.e. ei chap hi.

Rhowch ffurf gywir y gair sydd wedi ei danlinellu yn y frawddeg.

1. Cafodd ei <u>cyflog</u> hi ei dalu yn syth i'r banc.

2. Gwelais hi ar ddydd ei <u>pen-blwydd</u> hi.

3. Bydd hi'n gwneud y gwaith ar ei <u>telerau</u> hi.

4. Byddaf yn ei <u>croesawu</u> hi i'r derbyniad.

5. Pryd cafodd hi ei <u>penodi</u>?

6. Ydy hi wedi talu am ei <u>tocynnau</u>?

7. Wyt ti'n adnabod ei <u>tad</u> hi?

8. Pwy sy'n ei <u>casglu</u> hi o'r ysgol heno?

9. Ydy o wedi ei <u>perswadio</u> hi i adael yn gynnar?

10. Wyt ti wedi gweld ei <u>car</u> newydd hi?

Rhagenwau a Threigladau 4

Ydych Chi'n Cofio?

Llenwch y bylchau yn y grid.

enw	fy + enw	dy + enw	ei (ben) + enw
tŷ	fy nhŷ		
gardd			
		dy wyliau	
teledu			ei theledu (hi)

Rhagenwau a Threigladau 5

Ydych Chi'n Cofio?

Llenwch y bylchau yn y grid.

enw	fy + enw	dy + enw	ei (ben) + enw
cinio			
brawd	fy mrawd		
		dy ben-blwydd	
darlun		dy ddarlun	

43

Priod-ddulliau/Idiomau 1

Cysylltwch yr idiomau sydd yn y golofn gyntaf gydag eglurhad cywir o'r ail golofn.

Diwrnod i'r brenin	y byd i gyd
Cymryd y goes	codi'n gynnar iawn
Y byd a'r betws	yn annibynnol
Cyn codi cŵn Caer	trin a thrafod
Heb siw na miw	cweryla'n chwyrn
Rhoi'r byd yn ei le	yn dawel
Yng ngyddfau ei gilydd	diwrnod arbennig
Wrth ei bwysau	cymryd ei amser, heb ruthro
Ar fy liwt fy hun	yn gyffrous neu yn poeni
Ar bigau'r drain	dianc

44

Priod-ddulliau/Idiomau 2

Mae un gair anghywir ym mhob idiom. Dewiswch yr un cywir o'r rhain i'w roi yn lle'r un anghywir:

chwilen, mul, raff, dannedd, hoelen, brain, nhafod, bol, ffidil, ffyn

1. Gwisgais got law gan ei bod hi'n bwrw hen wragedd a **chŵn.**

2. Ni allaf ddeall ei lawysgrifen am ei fod fel traed **moch.**

3. Mae Wil wedi llyncu **asyn** am na chafodd ei ddewis i chwarae rygbi.

4. Roedd arogl hyfryd y twrci yn tynnu dŵr o'm **tafod**.

5. Ni allwn gofio'r ateb er ei fod ar flaen fy **ngheg.**

6. Roedd gan yr athro **wenynen** yn ei ben am dreiglo.

7. Rydw i wedi methu dysgu tablau ac wedi rhoi'r **gitâr** yn y to.

8. Mae rhieni Tomos wedi ei ddifetha a rhoi gormod o **gortyn** iddo.

9. Cefais lond **ceg** ar swnian fy modryb.

10. 'Hollol gywir! Rwyt ti wedi taro'r **sgriw** ar ei phen!'

Priod-ddulliau/Idiomau 3

Dewiswch yr idiomau cywir a'u rhoi yn lle'r geiriau mewn print trwm:

blith draphlith, uwchben fy nigon, o drwch blewyn, yn llygad ei le, yn ei elfen, yn y bore bach, O bryd i'w gilydd, gwneud ei orau glas, ar amrantiad, o dipyn i beth

1. Chwarae teg i John, roedd wedi **ymdrechu'n galed**.

2. Nest enillodd **o ychydig**.

3. Roedd popeth **ar draws ei gilydd** yn ei ystafell.

4. **Weithiau** byddaf yn mynd i weld ffilm.

5. Daeth y gwyliau i ben **yn gyflym iawn**.

6. Roedd **yn hollol gywir** pan ddywedodd y byddai'n glawio.

7. Dysgais Almaeneg **yn raddol**.

8. Mae pob pysgotwr **yn hapus** pan fo mewn afon.

9. Dechreuodd ar ei daith **yn gynnar iawn**.

10. Roeddwn **yn fodlon iawn** pan enillais y gystadleuaeth.

Priod-ddulliau/Idiomau 4

Llenwch y bylchau gydag idiom Gymraeg sy'n golygu'r un peth â'r idiom Saesneg sydd yn y cromfachau.

1. Heddwyn yw _____ ei dad.
    (the apple of his eye)
2. Dim ond dau sy'n cael mynd i mewn _____.
    (at a time)
3. Cyrhaeddodd yn hwyr a'i _____.
    (out of breath)
4. Roeddem _____ eisiau cael yr hanes.
    (on tenderhooks)
5. Mae Lois wrth ei _____ gyda'i brawd bach newydd.
    (delighted)
6. Cwerylodd y ddau frawd _____ o'r daith.
    (all the way)
7. Aethant i ystafell y Pennaeth _____.
    (one by one)
8. Mae hi am gychwyn busnes ar _____.
    (on her own)
9. Roedd hi'n _____ pan ddaeth yr athro yn ôl i'r ystafell.
    (chaos)
10. Mae'r athro'n gwneud _____ o idiomau.
    (mountain out of a molehill)

Priod-ddulliau/Idiomau 5

Roedd Wil am blesio'i athro Cymraeg trwy ddefnyddio llawer o idiomau ond mae camgymeriad mewn 5 ohonyn nhw ac mae ystyr 5 arall yn anghywir. Cywirwch nhw cyn iddo roi ei waith i mewn i'w farcio!

Ddydd Sadwrn aeth Dad a Mam i Abertawe i siopa a chefais aros adref ar <u>ben fy hun</u> bach. Yn wahanol i Dad, oedd yn edrych yn <u>isel ei ben</u>, roeddwn i <u>wrth bodd fi</u>! Roeddwn yn mynd i gael <u>diwrnod i'r frenhines</u>. Penderfynais aros yn fy ngwely yn chwarae gemau ar fy ipad o <u>fore bach tan nos</u>. Ond erbyn amser cinio roeddwn wedi dechrau diflasu. A dweud y gwir roeddwn wedi <u>cael llawn bol</u>. Ffoniais Guto ac Elgan ond dim ateb, <u>dim smic na miw</u>! Doedd dim amdani ond mynd ar fy meic! Ond roedd ym mhen draw'r sièd a phopeth yn <u>bendrawmwnwgl</u> yno! Wedi ei gael allan es am reid o ddeuddeng milltir. Waw! Deuthum adref yn teimlo <u>ar ben fy myd</u> ac yno'r oedd Dad <u>â'i ben yn ei phlu</u> wedi cael diwrnod diflas o siopa!

Enwau 1

Gwrywaidd a benywaidd
- Mae enwau Cymraeg yn wrywaidd neu'n fenywaidd. Mae rhai enwau yn gallu bod yn wrywaidd ac yn fenywaidd gan ddibynnu ar yr ardal, e.e. munud, angladd.
- Mae geiriadur neu Cysgair yn dweud a yw enw'n wrywaidd neu'n fenywaidd.
- Mae enw benywaidd yn cael ei ddilyn gan e.b. (enw benywaidd).
- Mae enw gwrywaidd yn cael ei ddilyn gan e.g. (enw gwrywaidd).

Rhowch gylch am yr enwau benywaidd a thanlinellwch yr enwau gwrywaidd.

Agorodd y lleidr y ffenest yn araf a sleifiodd i mewn i'r ystafell enfawr. Roedd hi'n dywyll iawn yno, ond ble roedden nhw wedi rhoi'r arian? Agorodd y cwpwrdd cyntaf ond dim ond pum silff hollol wag oedd yno. Teimlodd ei wres yn codi. Teimlai'n chwilboeth, felly tynnodd ei gap a'i fwgwd. Wedi'r cyfan, ni fyddai unrhyw un yn y siop mor hwyr â hyn.

Enwau 2

> **Ffurfiau lluosog**
> Weithiau, mae gan enw fwy nag un ystyr, e.e. cais (am swydd neu sgôr mewn gêm rygbi). Yn aml, mae gan yr enwau yma ffurfiau gwahanol i'r gwahanol ystyron yn y lluosog.

Llenwch y bylchau isod gyda ffurf gywir y dewis a roddir.
Mae gan rai enwau fwy nag un lluosog.

1. Cefais lawer o _____ doeth gan fy rhieni.
   (gynghorau/gynghorion)

2. Sgoriodd y mewnwr lawer o _____. (geisiau/geisiadau)

3. Cariodd yr asynnod y _____ ar hyd y llwybrau creigiog.
   (llwythau/llwythi)

4. Roedd llawer o _____ blasus yn y bwyty newydd.
   (brydau/brydiau)

5. Derbyniwyd deg o _____ am y swydd. (geisiau/geisiadau)

6. Torrodd y mewnwr ei _____ yn y ryc. (asennod/asennau)

7. Cafodd y _____ eu hordeinio yn yr Eglwys.
   (personau/personiaid)

8. Defnyddiodd y saer y _____ i dorri'r coed.
   (llifogydd/llifiau)

9. Bydd etholiad y _____ lleol yn cael eu cynnal yfory.
   (cynghorau/cynghorion)

10. Mae hi'n fyr iawn ei thymer ar _____ . (brydau/brydiau)

Enwau 3

Enwau unigol ac enwau lluosog
Mae yna enwau unigol ac enwau lluosog.

Newidiwch y darn canlynol i'r lluosog drwy newid y geiriau sydd wedi eu tanlinellu. Byddwch yn ofalus gyda'r treiglo.

Gwelodd y <u>bachgen</u> a'r <u>ferch</u> y <u>ci</u> a'r <u>gath</u> yn chwarae yn <u>yr ardd</u>. Roedden nhw wrth eu bodd yn eu gwylio ond yna clywon nhw <u>sŵn</u> erchyll. Roedd <u>car</u> a <u>lori</u> yn sgrialu tuag atynt gan daro yn erbyn <u>tŷ</u> a <u>swyddfa</u>.

Enwau 4

> **Enwau benywaidd**
> - Mae enwau Cymraeg yn wrywaidd neu'n fenywaidd. Mae rhai enwau yn gallu bod yn wrywaidd ac yn fenywaidd gan ddibynnu ar yr ardal, e.e. munud, angladd.
> - Mae geiriadur neu Cysgair yn dweud a yw enw'n wrywaidd neu'n fenywaidd.
> - Mae enw benywaidd yn cael ei ddilyn gan e.b. (enw benywaidd).
> - Mae enw gwrywaidd yn cael ei ddilyn gan e.g. (enw gwrywaidd).

Newidiwch y darn canlynol i'r benywaidd drwy newid y geiriau sydd wedi eu tanlinellu. Gwnewch newidiadau angenrheidiol eraill hefyd, e.e. treiglo, newid ef/fo > hi.

Gadawodd y <u>gwas</u> priodas y gwesty yn gynnar ac aeth i gartref ei <u>frawd</u>. <u>Ef</u> oedd y <u>priodfab</u>. Wedyn, roedd rhaid galw am eu <u>cefnder</u>. Ond, pan gyrhaeddon nhw'r tŷ, roedd mewn panig. Roedd <u>cynorthwyydd</u> y cofrestrydd wedi ffonio i ddweud y byddai'r cofrestrydd yn hwyr oherwydd damwain. Roedd plentyn wedi croesi'r ffordd ac roedd car wedi stopio'n sydyn gan achosi damwain. Roedd <u>gŵr</u> y gyrrwr wedi cael niwed difrifol, ac felly bu'r ffordd ar gau nes i'r ambiwlans gyrraedd. Roedd y <u>canwr</u> a'r <u>cyfeilydd</u> oedd i fod i roi eitem yn ystod y seremoni hefyd yn y ddamwain ond diolch byth, ni chawsant niwed. Roedd rhaid gohirio'r seremoni am awr, ond cafodd fy <u>nai</u> fodd i fyw yn difyrru'r gynulleidfa.

Enwau 5

Enwau gwrywaidd

- Mae enwau Cymraeg yn wrywaidd neu'n fenywaidd. Mae rhai enwau yn gallu bod yn wrywaidd ac yn fenywaidd gan ddibynnu ar yr ardal, e.e. munud, angladd.
- Mae geiriadur neu Cysgair yn dweud a yw enw'n wrywaidd neu'n fenywaidd.
- Mae enw benywaidd yn cael ei ddilyn gan e.b. (enw benywaidd).
- Mae enw gwrywaidd yn cael ei ddilyn gan e.g. (enw gwrywaidd).

Newidiwch y darn canlynol i'r gwrywaidd drwy newid y geiriau sydd wedi eu tanlinellu. Gwnewch newidiadau angenrheidiol eraill hefyd, e.e. treiglo, newid amdani hi > amdano fo.

Rydym wedi penderfynu cystadlu yn sioe'r dref eleni, ac ar hyn o bryd mae fy <u>ngwraig</u> yn brysur yn paratoi <u>dafad</u>, <u>hwch</u>, <u>buwch</u> a llo ar gyfer y cystadlaethau i ddechreuwyr. Cafodd fy <u>merch</u> y ffurflenni i'w llenwi gan <u>ysgrifenyddes</u> y sioe ac mae'n rhaid <u>iddi</u> eu dychwelyd erbyn wythnos nesa. <u>Maeres</u> y dref fydd yn cyflwyno'r gwobrau ac os enillwn ni, fy <u>mam yng nghyfraith</u> fydd yn casglu'r wobr yn ei rôl fel aelod hynaf y teulu. Bydd yn teimlo fel <u>brenhines</u> y sioe.

Enwau 6

Ydych Chi'n Cofio?

Rhowch y geiriau yn y golofn gywir. Mae mwy o fylchau nag o eiriau.

pecyn bwyd	cysgodion	gwisg	gwaith cartref	blwyddyn
ysgol	sebon	swydd	llysiau	tocyn

Enw gwrywaidd unigol	Enw benywaidd unigol	Enw lluosog

Enwau 7

Ydych Chi'n Cofio?

Rhowch y geiriau yn y golofn gywir. Mae mwy o fylchau nag o eiriau.

cystadleuaeth	crys	ffon	cerdd	dyfroedd
blodyn	brodyr	dillad	anrhegion	gwely

Enw gwrywaidd unigol	Enw benywaidd unigol	Enw lluosog

Berfau 1

> **Y dyfodol a'r amodol**
> - Mae ffurfiau'r amser dyfodol a'r amodol yn debyg yn y Gymraeg.
> - Ystyr y dyfodol yw '*will*' neu '*shall*' yn Saesneg.
> - Ystyr yr amodol yw '*would*' yn Saesneg.

Y dyfodol	Yr amodol	Y dyfodol	Yr amodol
Byddaf i	Byddwn i	Byddwn ni	Byddem ni
Byddi di	Byddet ti	Byddwch chi	Byddech chi
Bydd e/o/hi	Byddai e/o/hi	Byddant hwy	Byddent hwy

Rhowch y gair cywir yn y bylchau isod. Mae mwy o eiriau nag o fylchau.

byddet	byddaf	bydd	byddan
byddwn	byddwch	byddwn	byddi di
byddech	byddem	byddai	byddent

Yn ystod y gwyliau, rwyf wrth fy modd yn mynd allan bob nos ond yn ystod y tymor, _____ yn ceisio bod yn gall. Ond mae eithriad i bob rheol achos y penwythnos nesaf _____ ni'n mynd i Lan-llyn am ddwy noson. Rydyn ni'n siŵr y _____ ti a Dan yn hoffi cwrdd â ni yno. _____ ni'n falch iawn i gael eich cwmni chi. Rwy'n meddwl y _____ chi'n ddwl i wrthod y cynnig ond _____ yn ofalus ar y ffordd achos mae llawer o ddamweiniau wedi digwydd yn ddiweddar. Ar y bws y _____ fy ffrindiau eraill yn teithio a _____ nhw'n ein cyfarfod yn y gwersyll am chwech o'r gloch. _____i'n hoffi mynd i fynydda ar y bore Sadwrn ond _____ yn well gan Gwen ganŵio.

Berfau 2

Terfyniadau cywir
Mae terfyniad berf yn dangos y person a'r amser.

Mae'r brawddegau isod i gyd yn yr amser gorffennol. Llenwch y bylchau gyda ffurf gywir y ferf sy mewn cromfachau.

1. _____ ti ar y trip i Baris y llynedd. (mynd)
2. _____ chi'r ffilm yn y sinema newydd? (gweld)
3. _____ i am y bwyd ac mi _____ John am y diodydd. (talu)
4. _____ ti y dylwn i wybod yn well. (dweud)
5. _____ ni dy fod ti wedi cael ysgoloriaeth. (clywed)
6. _____ nhw wobr am eu gwaith gwirfoddol. (cael)
7. _____ hi'r prosiect neithiwr. (gorffen)
8. _____ nhw i'r ysbyty i fy ngweld. (dod)
9. _____ i fynd i'r dref ar y ffordd adref. (penderfynu)

Berfau 3

Ffurfio'r negyddol
- Yn aml, mae'r negyddol yn cael ei ffurfio drwy roi 'ni' o flaen berf sy'n dechrau â chytsain a 'nid' o flaen berf sy'n dechrau â llafariad. Mae 'ni' yn achosi treiglad llaes mewn berfau sy'n dechrau â t, c, p a threiglad meddal mewn berfau sy'n dechrau â b, d, g, ll, m, rh, e.e. ni chlywais, ni ddarllenodd, nid oedd.
- Gellir hepgor y 'ni'/'nid' a rhoi 'ddim' ar ôl y ferf ond bydd y treigladau yn parhau, e.e. Chlywais i ddim byd.

Beth yw ffurf negyddol y berfau hyn?

Cadarnhaol	Negyddol
Mae ef	
Byddi di	
Darllenoch chi	
Talaf i	
Roeddent hwy	
Dylwn i	
Prynant hwy	
Rwyt ti	
Cawsom ni	
Byddech chi	

Berfau 4

Cwestiwn ac ateb

Mae'n rhaid i'r cwestiwn a'r ateb gyfateb o ran amser y ferf.
Cofiwch fod
- 'fi' yn y cwestiwn > 'ti'/'chi' yn yr ateb
- 'ti' yn y cwestiwn > 'fi' yn yr ateb
- 'chi' yn y cwestiwn > 'fi'/'ni' yn yr ateb
- 'ni' yn y cwestiwn > 'chi'/'ni' yn yr ateb

Dyma'r atebion ond beth oedd y cwestiynau?

1. Oeddwn, roeddwn i'n hwyr bore ddoe.
2. Byddwch, byddwch chi'n cael cinio yn y gwesty nos yfory.
3. Gwnaf, talaf i am y tocyn parcio.
4. Do, cefais i'r anrheg.
5. Nac oes, nid oes arian yn y banc.
6. Na ddylai, ni ddylai adael yn gynnar.
7. Naddo, welon nhw mo'r ffilm.
8. Ydw, rwy'n byw yn Abertawe.
9. Ydyn, maent yn gwerthu'r hen adeilad.
10. Na fydd, ni fydd hi'n bwrw glaw heno.

Berfau 5

Ydych Chi'n Cofio?
Cywirwch y gwallau yn y paragraff isod.

Ddoe, <u>darllenodd fi</u> stori ar y we. Wedyn es <u>i mynd</u> i nofio yn y dref efo fy ffrindiau. Ar y ffordd adref, <u>gwelodd ni</u> fod ffilm newydd gyffrous yn y sinema wythnos nesaf. <u>Roedd ni</u> eisiau mynd i'w gweld nos Sul ond <u>roedd</u> hi ddim yno ar nos Sul, dim ond o nos Lun i nos Sadwrn.

'Hoffech chi fynd nos Sadwrn?' <u>gofynnodd fi.</u>

'<u>Ie</u>,' atebodd Nia. '<u>Dylen</u> ni brynu tocynnau?'

'<u>Nage</u>. Bydd digon o le yno ond <u>ddylen</u> ni edrych i weld faint o'r gloch mae'r ffilm yn cychwyn.'

Ansoddeiriau 1

> Mae defnyddio ansoddeiriau croes eu hystyr yn ddull da iawn o ddangos y gwahaniaeth rhwng pethau.

Dewiswch ansoddeiriau o'r rhestr isod a'u defnyddio yn lle'r ansoddeiriau yn y brawddegau:

amhoblogaidd, drwg, anniben, chwerw, hir, sych, gwaethaf, glân, tywyll, talaf

1. Doedd Dafydd byth yn fachgen da.

2. Wn i ddim beth ydy'r gorau – mathemateg neu wyddoniaeth.

3. Lliw golau sydd yn gweddu i'r ferch.

4. Mae'r grŵp pop yma yn boblogaidd iawn.

5. Pwy sy'n mwynhau bwyd melys?

6. Tywydd gwlyb gawn ni drwy'r haf mae'n siŵr!

7. Fyddi di'n gwisgo trowsus byr i fynd i lan y môr?

8. William ydy'r byrraf yn y dosbarth.

9. Bydd mam bob amser yn dweud bod fy ngwallt yn daclus.

10. Dŵr budr oedd gennym i olchi llestri.

Ansoddeiriau 2

Mae'n bosibl creu ansoddair croes ei ystyr trwy roi 'an' o flaen ansoddair. Mae hyn yn achosi treiglad fel hyn:

- 'an' + 'poblogaidd' > amhoblogaidd
- 'an' + 'caredig' > angharedig
- 'an' + 'difyr' > annifyr
- 'an' + 'teg' > annheg

Ysgrifennwch ansoddeiriau croes y rhain.

1. Diddorol

2. Pleserus

3. Cysurus

4. Teg

5. Cyflawn

6. Personol

7. Tebyg

8. Derbyniol

9. Doeth

10. Hapus

Ansoddeiriau 3

> Rydych yn gallu defnyddio ansoddeiriau i gymharu pethau trwy ddefnyddio 'mor'. Bydd yr ansoddair yn treiglo'n feddal yn dilyn 'mor', e.e. mor + cyflym > mor gyflym.
> Nid yw 'll' a 'rh' yn treiglo, e.e. mor llawen â'r gôg.

Llenwch y bylchau gydag ansoddair a chofiwch dreiglo!
syth, caled, coch, tlawd, gwyn, melys, du, ystyfnig, miniog, cryf

1. Mor _____ â thân.

2. Mor _____ â glo.

3. Mor _____ â chyllell.

4. Mor _____ ag eira.

5. Mor _____ ag afal.

6. Mor _____ â llygoden eglwys.

7. Mor _____ â llew.

8. Mor _____ â haearn.

9. Mor _____ â mul.

10. Mor _____ â phren mesur.

Ansoddeiriau 4

> Mae'n bosibl creu enw o ansoddair trwy ychwanegu terfyniadau fel -dra,-deb, -dod/-tod, -der, -ni, -wch, -rwydd, e.e. glas > glesni

Dewiswch y terfyniad cywir i droi'r ansoddeiriau hyn yn enwau.

1. Diflas

2. Teg

3. Coch

4. Du

5. Gwyrdd

6. Tawel

7. Distaw

8. Prysur

9. Tal

10. Trist

Ansoddeiriau 5

> Yn aml iawn defnyddir 'rhy', 'cyn', 'mor', 'mwy', 'faint' a 'llai' yn anghywir gydag ansoddeiriau, e.e. faint mor anhapus > pa mor anhapus.

Cywirwch y brawddegau hyn.

1. Defnyddia Menna **rhy gormod** o golur.

2. Dydw i ddim **cyn gystal** â Mam am goginio.

3. Mae fy mrawd yn **fwy bach** na fi.

4. Mae gwyliau yng Nghymru yn costio **mor gymaint** â gwyliau yn Sbaen.

5. Roedd Ann yn dweud **faint mor** berffaith oedd Huw!

6. Mae Wil yn **fwy mawr** na fi er ei fod yn iau o ran oed.

7. Erbyn hyn mae Mam-gu yn **llai bach** na fi!

8. Dychrynais pan glywais **faint mor** unig oedd hi.

9. Roeddwn wedi blino **cyn gymaint** fel y cysgais ar fy nhraed.

10. Rhyw ddydd gallaf chwarae tennis **mor gystal** ag Andy Murray!

Ansoddeiriau 6

Ydych Chi'n Cofio?
Cywirwch yr ansoddeiriau yn y llythyr.

Annwyl Mr a Mrs Jones,

Yr wyf yn ysgrifennu atoch i gwyno am eich mab hynaf, Gwyn. Mae e'n meddwl ei fod yn wynach na gwyn (Ha!Ha!) ond dydy e ddim. Mae e wedi mynd yn rhy fawr i'w sgidie ac yn meddwl ei fod yn fwy gwell na neb arall yn yr ysgol. Dydy e ddim cyn gystled â'i frawd mawr, Meic, mewn dim byd yn yr ysgol. Ddoe, pan ofynnodd Mr Saunders, ei athro mathemateg, am dawelwch yn y dosbarth parhaodd Gwyn i siarad ar ei draws yn ychel. Gofynnodd Mr Saunders yr eildro ond roedd Gwyn mor pengaled â mul. Dywedodd Mr Saunders wrtho pa mor bwysig yw cwrteisi a'i fod yn fachgen anymunol ac anhwrtais. A wnewch chi gysylltu â fi cyn fuan â phosibl os gwelwch yn dda i ni drefnu i chi ddod i'r ysgol i drafod ymddygiad cyfrifol Gwyn.

Yn gywir,

Mr Fergus

Mr Fergus (Y Pennaeth)

Arddodiaid 1

Rhowch 'Roeddwn i'n gweithio' + 'yn' neu 'mewn' o flaen yr ymadroddion hyn. Treiglwch os oes angen. Cofiwch roi atalnod llawn ar ddiwedd y frawddeg.

1. parlwr hufen iâ

2. canolfan ieuenctid

3. swyddfa'r heddlu

4. cwmni adeiladu

5. Dinbych

6. yr ysgol gynradd leol

7. siop y pentref

8. ysbyty

9. canolfan yr Urdd

10. cefn gwlad Cymru

Arddodiaid 2

> **'yn' + 'canol'/'pob'/'pen'**
> - 'yn' + 'canol' = yng nghanol
> - 'yn' + 'pob' = ym mhob
> - 'yn' + 'pen' = ym mhen

Cyfatebwch y ddau hanner i wneud brawddeg synhwyrol.

Roedd hi'n byw ym	nghanol y dref.
Does dim dirprwy ym	nghanol y ddinas?
Rhoddais yr anrheg ym	mhob ystafell?
Roedd y bwthyn unig yng	mhen draw'r byd.
Rhowch y saeth yng	mhob achos.
Oedd teledu ganddynt ym	mhen pella'r cwpwrdd.
Aeth y plentyn ar goll yng	mhob ysgol gynradd.
Mae hi wedi aros ym	nghanol y mynyddoedd.
Mae'n rhaid bod yn deg ym	mhob gwesty yn y ddinas.
Wyt ti'n byw yng	nghanol y cylch.

Arddodiaid 3

Newidiwch y geiriau sydd wedi'u tanlinellu gydag un o'r ymadroddion isod.

hebddynt hwy	iddo fo	drosom ni	ganddi hi
wrthynt hwy	amdani hi	amdano fo	arni hi
drwyddynt hwy	atynt hwy		

1. Aethon ni i'r parti <u>heb y bechgyn.</u>
2. Wyt ti wedi clywed <u>am yr athrawes gerdd?</u>
3. Clywais i am y cwrs <u>drwy fy mam a fy chwaer.</u>
4. Doedd dim pen tost <u>gan fy chwaer.</u>
5. Oedd annwyd <u>ar dy chwaer?</u>
6. Rwy wedi gwneud y gwaith <u>i Mr Jones.</u>
7. Peidiwch â phoeni <u>am yr asesu dan reolaeth.</u>
8. Cofiwch fi <u>at eich rhieni.</u>
9. Wnei di dalu <u>dros fy chwaer a fi?</u>
10. Doedden nhw ddim wedi dweud <u>wrth yr arholwyr.</u>

Arddodiaid 4

> **Arddodiaid a threigladau**
> - Mae treiglad meddal ar ôl 'am', 'ar', 'at', 'heb', 'i', 'o', 'dan', 'dros', 'drwy', 'wrth', 'gan', 'hyd'.
> - Mae treiglad trwynol ar ôl 'yn'.
> - Mae treiglad llaes ar ôl 'â', 'gyda', 'tua'.

Rhowch ffurf gywir y gair sydd wedi ei danlinellu.

1. Mae tua <u>pum</u> cant o blant yn yr ysgol newydd.
2. Roedd ganddynt <u>decpunt</u>.
3. Maen nhw'n byw <u>yn Caer</u> nawr.
4. Roedd gliniadur ar <u>bwrdd</u> y gegin.
5. Roedd o'n feirniadol iawn o <u>pawb</u> a phopeth.
6. Byddaf yn dy gefnogi drwy <u>dŵr</u> a thân.
7. Roedd wedi ymateb i <u>pob</u> un o'r meini prawf.
8. Breuddwydiais am <u>gwyliau</u> yn y Caribî.
9. Roedd fy nhrowsus newydd <u>yn canol</u> y dillad budr.
10. Es i'r sinema gyda <u>tair</u> o fy ffrindiau.

Arddodiaid 5

> **Arddodiaid a berfau**
> Weithiau, mae berf yn cael ei dilyn gan yr un arddodiad yn y Gymraeg a'r Saesneg ond weithiau, mae'r arddodiad yn wahanol.

Dewiswch yr arddodiad cywir i'w roi yn y bwlch.

1. Wyt ti wedi dweud i/wrth dy dad?
2. Mae hi wedi gofyn i/wrth Mair fynd i'r siop.
3. Doedd hi ddim yn gwrando i'r/ar y deintydd.
4. Paid â gweiddi i'r/ar y plant.
5. Dylet fynd i'r/at y meddyg os wyt ti'n sâl.
6. Wyt ti wedi anfon neges destun i/at dy gariad?
7. Roedd e'n chwarae i'r/dros y Sgarlets y tymor diwethaf.
8. Ydyn nhw'n dianc rhag/oddi wrth y llofrudd?
9. Ysgrifennais i e-bost i/at swyddfa'r heddlu.
10. Pwy sy'n gofalu ar ôl/am dy fam-gu?

Arddodiaid 6

Ydych Chi'n Cofio?

Llenwch y bylchau yn y brawddegau gydag un o'r ymadroddion yma. Mae mwy o ymadroddion nag o fylchau.

am	wrthyf	ar y	iddi	i'r	drosto'r
ganddo	amdano'r	gen	â'r	arna i	amdan
arno'r	i fi	gyda fi	wrthi	dros y	gynno

Doedd hi ddim wedi clywed _____ y ddamwain nes i fi ddweud _____ . Wrth gwrs, roedd rhaid _____ fynd i fusnesa wedyn. Gwelodd mai _____ gyrrwr roedd y bai achos roedd ei gar wedi mynd _____ clawdd ac i mewn i'r cae. Aeth i siarad _____ heddwas oedd ar ddyletswydd ond ni chafodd fawr o wybodaeth _____. Cyn bo hir, daeth hi adref i ddweud yr hanes _____, ond doedd dim diddordeb _____ i yn yr holl beth. Roedd annwyd trwm _____ ac roeddwn i am fynd i'r gwely ar unwaith.

Geiriau Tebyg 1

> **Blwyddyn, blynedd, blwydd**
> - Enw benywaidd unigol yw 'blwyddyn'. Mae'n cael ei ddefnyddio gyda'r rhifolyn 'un' a'r trefnolion, e.e. yr ail flwyddyn.
> - Enw lluosog yw 'blynedd'. Mae'n cael ei ddefnyddio ar ôl pob rhifolyn heblaw 'un', e.e. tair blynedd.
> - Mae 'blwydd' yn cael ei ddefnyddio wrth siarad am oed. Does dim rhaid ei gynnwys bob tro. Enw benywaidd yw blwydd, beth bynnag yw cenedl y goddrych, e.e. Mae e'n wyth (mlwydd) oed.

Llenwch y bylchau gyda'r gair cywir. Mae'n rhaid defnyddio rhai geiriau mwy nag unwaith.

mlwydd	flwyddyn	flwydd	flynedd
mlynedd	blynedd	blwyddyn	blwydd

1. Bydd y _____ nesaf yn bwysig iawn i'r tîm rygbi.
2. Rwyf wedi bod yn byw yma ers dwy_____.
3. Dechreuodd e weithio yn y ffatri bum _____ yn ôl.
4. Byddaf yn gadael yr ysgol y _____ nesaf.
5. Bydd fy mrawd i'n naw _____ oed yr wythnos nesaf.
6. Am sawl _____ buest ti'n byw yn Sbaen?
7. Byddan nhw'n mynd i Lundain am benwythnos bob _____.
8. Roedden nhw wedi bod yn byw gyda'i gilydd am bum _____.
9. Symudais i'r tŷ yma saith _____ yn ôl.
10. Rwyf wedi bod yn ddi-waith am _____ nawr.

Geiriau Tebyg 2

> **'os'/'pe'**
>
> Rhaid defnyddio 'pe' i ddangos ansicrwydd neu amheuaeth, e.e.
> - Pe baswn i'n gwrando mwy, baswn i'n cael gwell graddau.
> - Byddwn i wedi talu pe bai arian gen i.
>
> Gyda'r presennol neu'r dyfodol rhaid defnyddio 'os', e.e.
> - Os enillaf i'r loteri prynaf gar i ti.

Rhowch 'os' neu 'pe' yn y bylchau isod.

1. Byddai hi wedi ennill y wobr _____ byddai wedi dysgu'r geiriau'n iawn.

2. Gallen nhw gyrraedd mewn pryd _____ bydden nhw'n gadael nawr.

3. Cei di fynd adre'n gynnar _____ byddi di'n dda.

4. _____ bydd hi'n bwrw glaw yfory byddaf yn mynd i'r pwll nofio.

5. Byddwn i'n mynd i'r sinema heno _____ byddai fy mam yn talu.

6. Fyddet ti'n prynu gêm newydd _____ byddai digon o arian gyda ti?

7. Hoffen nhw fynd ar wyliau dramor _____ byddai digon o arian ganddynt.

8. Baswn i wedi paratoi'n well _____ baswn i'n gwybod eich bod chi'n dod.

9. Cofia ddweud wrthyf i _____ cei di neges destun ganddo.

10. Fydd hi'n flin _____ byddi di'n hwyr?

Geiriau Tebyg 3

> **'na'/'nac'/'nag'**
> **'na'/'nac'** *('nor')*
> - Rhaid defnyddio 'na' o flaen cytsain. Mae'n cael ei ddilyn gan dreiglad llaes, e.e. Does dim ci na chath gen i.
> - Rhaid defnyddio 'nac' o flaen llafariad, e.e. Does dim tafarn nac ysgol yn y pentref.
> **'na'/'nag'** *('than')*
> - Rhaid defnyddio 'na' o flaen cytsain. Mae'n cael ei ddilyn gan dreiglad llaes, e.e. Mae ffrwythau yn fwy iachus na chacennau.
> - Rhaid defnyddio 'nag' o flaen llafariad. Mae'n cael ei ddefnyddio er mwyn cymharu, e.e. Mae fy ysgol i'n well nag ysgol fy chwaer.

Rhowch 'na', 'nac' neu 'nag' yn y bylchau isod.
Cofiwch dreiglo os oes angen.

Mae Catrin yn fwy _____ cariad i fi. Mae hi'n aelod o'r teulu a dyna pam roeddwn i'n credu bod gwell cyfle ganddi hi _____ unrhyw un arall i gael gwaith yn swyddfa fy nhad. Dechreuais boeni pan welais ei bod yn fwy gofidus _____ arfer. Wedi i mi siarad â hi, deallais nad oedd y panel wedi holi _____ cyfeirio at ei phrofiad blaenorol. Roedd hyn yn drueni achos rwy'n hyderus nad oedd ganddynt syniad _____ ymwybyddiaeth o'i phrofiad. Wythnos yn ddiweddarach, derbyniodd lythyr yn ei gwrthod. Ni chafodd unrhyw reswm _____ esboniad. Dywedodd nad oedd hi am apelio _____ cwyno. Penderfynodd nad oedd am fynd drwy'r broses honno _____ gwastraffu mwy o amser. Doedd dim mwy _____ wythnos i fynd cyn y byddem yn hedfan i Awstralia a llai _____ diwrnod yn ddiweddarach, byddem yng nghartref ei thad.

75

Geiriau Tebyg 4

Parau o eiriau

Dewiswch y gair cywir i'w roi yn y bwlch isod.

1. Rwy'n _____ dy frawd di'n dda iawn.
   (gwybod/adnabod)

2. Rwyt ti'n _____ gormod o amser ar dy ffôn symudol.
   (treulio/gwario)

3. Mae'r lliw yna'n _____ yn dda iawn i ti.
   (gweddi/gweddu)

4. Mae'r athrawon _____ wedi mynd i'r gynhadledd.
   (arall/eraill)

5. Gwyrdd a _____ yw lliwiau'r clwb.
   (melin/melyn)

6. Mae fy llun i'n _____ na dy lun di.
   (waith/waeth)

7. Mae'r llyfr yma'n _____.
   (wahanol/wahaniaeth)

8. Roeddem yn chwerthin drwy'r nos. Roedd hi'n noson_____ iawn.
   (hwylus/hwyliog)

9. Roedd yr ap newydd yn _____ iawn.
   (boblogaeth/boblogaidd)

10. Pwy oedd yn siarad _____ ti yn y siop?
    (i/â)

Geiriau Tebyg 5

> **'byth' ac 'erioed'**
> Ystyr 'byth'/'erioed' yw *'ever'* neu *'never'* yn Saesneg.
> - Rydym yn defnyddio 'byth' yn yr amser presennol neu'r dyfodol, e.e. Nid wyf byth yn mynd i'r dref.
> - Rydym hefyd yn defnyddio 'byth' gyda'r amser amherffaith, e.e. Doedd hi byth yn ddrwg yn yr ysgol.
> - Rydym yn defnyddio erioed yn yr amser gorffennol neu'r gorberffaith, e.e. Dydy hi ddim wedi bod yn ddrwg erioed.

Ysgrifennwch 'byth' neu 'erioed' yn y bwlch i orffen y frawddeg.

1. Doedd hi _____ yn siarad â fi pan roeddwn i'n iau.

2. Mae'n well i ti ddechrau gweithio neu fyddi di _____ yn cael graddau da.

3. Dw i ddim wedi bod i Langrannog _____,

4. Dwyt ti _____ yn gwrando arna i.

5. Mae hi'n rhedeg llawer ond fydd hi _____ yn gallu rhedeg marathon.

6. Dw i ddim _____ wedi clywed am y bardd yna.

7. Welodd e mohoni hi _____ o'r blaen.

8. Doeddwn i ddim wedi bod i Lundain _____ o'r blaen.

9. Nid yw wedi cysgu'n hwyr _____.

10. Fyddwn ni _____ yn yfed coffi cyn mynd i'r gwely.

Geiriau Tebyg 6

'yw'/'i'w'
- 'yw' = 'ydyw'/'ydy'
- 'i'w' = 'i' + 'ei'/'eu'

Dewiswch 'yw' neu 'i'w' ar gyfer y bylchau yma.

1. Euthum _____ chartref hi neithiwr.
2. Aled Gwyn _____ enw'r babi newydd.
3. Beth _____ dyddiad ei ben-blwydd o?
4. Aeth yr athrawes _____ dosbarth cyn mynd i'r gwasanaeth.
5. Beth _____ pris y llyfr yma?
6. Aeth ef _____ gweld yn yr ysbyty.
7. Mae gen i arian _____ thalu rŵan.
8. Beth _____ teitl y llyfr?
9. Wyt ti'n gwybod pwy _____ pwy?
10. Bydd hi'n mynd _____ gweld nhw nos yfory.

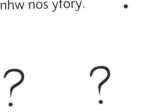

Geiriau Tebyg 7

> **'a'/'â'**
> - 'a' = 'and' yn Saesneg.
> - 'â' = 'gyda'/'with' yn Saesneg. Hefyd rydym yn defnyddio 'â':
>   - wrth gymharu dau beth, e.e. mor dal â fi
>   - ar ôl 'Paid/Peidiwch', e.e. peidiwch â siarad
>   - ar ôl rhai berfau, e.e. mynd â llythyr i'w bostio.
> Mae 'a' ac 'â' yn cael eu dilyn gan dreiglad llaes, e.e. ci a chath, paid a chwyno.

Rhowch 'a' neu 'â' yn y bylchau. Cofiwch dreiglo os oes angen.

1. Paid _____ gwrando ar dy frawd.
2. Dewch yma cyn gynted _____ posibl.
3. Bydd llawer o feicwyr _____ cherddwyr yno.
4. Mae'n bwysig dysgu derbyn yn ogystal _____ rhoi adeg y Nadolig.
5. Oes papur _____ pensil gennych chi?
6. Mae brawd _____ chwaer ganddi hi.
7. Mae angen amynedd _____ dyfalbarhad i lwyddo.
8. Doedd hi ddim cystal _____ fi.
9. Oes tabled _____ ffôn clyfar ganddo?
10. Byddaf yn siarad _____ nhw yfory.

Geiriau Tebyg 8

> **'ar'/'a'r'/'â'r'**
> - 'ar' = 'on' yn Saesneg. Mae'n cael ei ddilyn gan dreiglad meddal, e.e. ar gopa'r mynydd.
> - 'a'r' = 'and the' yn Saesneg, e.e. y ferch a'r bachgen.
> - 'â'r' = 'with the' yn Saesneg. Hefyd rydym yn defnyddio 'â'r':
>   - wrth gymharu dau beth, e.e. mor dywyll â'r fagddu.
>   - ar ôl rhai berfau, e.e. mynd â'r llythyr i'w bostio.

Rhowch 'ar' neu 'a'r' neu 'â'r' yn y bylchau. Treiglwch a gwnewch newidiadau eraill yn ôl yr angen.

1. Roedd y bwyd _____ diod yn ddrud yn y gwesty newydd.

2. Roedd y nofel _____ y silff lyfrau.

3. Bydd y pennaeth, yr athrawon _____ disgyblion yn y cyngerdd.

4. Cyfatebwch y lluniau _____ geiriau.

5. Ewch _____ parsel i swyddfa'r post.

6. Aethon nhw i Lundain _____ y trên.

7. Gwrandawais _____ y nyrs.

8. Roedd y deintydd _____ plymwr yno.

9. Roedd dysgwyr yr ysgol gynradd _____ ysgol gyfun yn cystadlu.

10. Mae dydd Gŵyl Dewi _____ Fawrth y cyntaf.

Geiriau Tebyg 9

> **'cael'/'gan'**
> - 'cael' (*to have*) – y broses o dderbyn eitem, e.e. 'Mae hi'n cael dillad newydd'.
> - 'gan'/'gyda' (*'got'*) – mae'r eitem gennych chi'n barod, e.e. Mae brawd bach ganddi hi. Mae ganddi hi frawd bach. Mae brawd bach gyda hi.

Dim ond pump o'r brawddegau isod sy'n gywir. Ticiwch y brawddegau cywir.

1. Rwyt ti'n cael ugain punt yn dy bwrs.

2. Mae hi gyda pum punt am y gwaith.

3. Mae e gyda gwobr am ennill.

4. Mae ganddo fo gur pen.

5. Mae dwy chwaer a dau frawd ganddi hi.

6. Oes gennyt ti waith cartref heno?

7. Byddan nhw'n cael eu talu am werthu'r tocynnau.

8. Roedden nhw'n cael teulu mawr.

9. Mae cath fach ddu gen i.

10. Dw i'n cael esgidiau newydd Nadolig diwetha.

Geiriau Tebyg 10

Ydych Chi'n Cofio?

Mae un gwall ym mhob brawddeg. Cywirwch nhw.

1. Os byddet ti'n gweithio ar ddydd Sadwrn, byddai mwy o arian gennyt.

2. Mae o eisiau astudio meddyginiaeth yn y brifysgol.

3. Dw i byth wedi clywed y fath ddwli.

4. Roedd dwy fynediad i'r adeilad.

5. Beth i'w hanes dy frawd erbyn hyn?

6. Peidiwch a bod mor ffôl.

7. Aeth hi ddim a'r plentyn i weld y meddyg.

8. Dw i ddim wedi gweld Darren nag Aled ers wythnos.

9. Bydd o'n gadael yr ysgol mewn dwy flwyddyn.

10. P'un i'w dy lyfr di?

Cymalau 1

> Mae defnyddio 'mae'/'roedd' ar ôl 'bod' yn anghywir.

Cywirwch y brawddegau hyn.

1. Roeddwn i'n amau bod roedd fe wedi dwyn yr arian.

2. Wyt ti'n deall bod mae chwarae gyda gwn yn beryglus?

3. Am bod roeddwn i'n hwyr chefais i ddim lle i eistedd.

4. Dywedodd yr athro bod mae hylif yn y gymysgedd.

5. Oherwydd bod roedden ni wedi ennill cawsom barti!

6. Ydych chi'n cofio bod rydyn ni'n gadael am saith o'r gloch?

7. Dydw i ddim yn credu bod mae e'n gallu siarad Cymraeg.

8. Mae Daniel yn gobeithio bod mae Delyth yn yr ysgol.

9. Efallai bod roedd e wedi colli'r ffordd.

10. Am bod mae chi'n ifanc gellwch fwynhau eich hun.

Cymalau 2

I newid cymal i'r negyddol:
- mae angen 'na' o flaen cytsain, e.e. Dywedodd Sam na chlywodd e ...
- 'nad' o flaen llafariad, e.e. Eglurodd Siwsan nad oedd ...

Mae defnyddio'r ffurfiau cadarnhaol 'mae'/'roedd' a'r gair negyddol 'dim' gyda'i gilydd yn anghywir.

Cywirwch yr hyn sydd wedi ei danlinellu yn y brawddegau hyn.

1. Dywedodd Wil <u>roedd ei frawd ddim</u> yn gas.
2. Efallai <u>doedd dim</u> digon o amser i orffen.
3. Doedd dim rhaid i ni fynd oherwydd <u>bod y gloch ddim</u> wedi canu.
4. Pwysleisiodd y Prifweinidog <u>doedd dim</u> arian ar gael.
5. Roedd y rhieni wedi gofyn a gofyn pam <u>doedd dim</u> help ar gael.
6. Mae Daniel yn gobeithio <u>bod mae Stella ddim</u> yn yr ysgol.
7. Am <u>bod roedd</u> hi ddim yn hoffi Kevin anwybyddodd ef.
8. Dywedodd yr athro <u>mae dim</u> hylif yn y gymysgedd.
9. Rydw i'n meddwl <u>does dim</u> nofel debyg i Cysgod y Cryman.
10. Mae Beth yn anhapus am <u>dydy ei gŵr ddim</u> gyda hi.

Cymalau 3

Cywirwch y geiriau sydd mewn print trwm.

1. Eglurodd yr athro pam **nad ydy** llawer o bobl yn byw yno.

2. Dywedodd **mai nad** Mercedes oedd y car.

3. Dywedodd y siopwr **mae dim** angen talu ar unwaith.

4. Dadleuais i **bod fi ddim** yn rhy hen i ddringo'r Wyddfa.

5. Roedd yn gwybod **doedd ganddo ddim gobaith** ennill.

6. Dadleuodd Meic **mai nid** Wrecsam oedd y tîm gorau.

7. Dywedais **doeddwn i ddim** yn hoffi ei dillad.

8. Roedd e wedi dweud **doedd e ddim** am fynd i Lanelli eto.

9. Efallai **mai nid** Ben sydd ar fai wedi'r cwbl.

10. Rydw i'n gwybod **dydw i ddim** yn berffaith.

85

Cymalau 4

> Pan fyddwch yn newid araith union (yn cynnwys
> dyfynodau) i araith anunion mae angen 'bod'/'fy mod i',
> 'eich bod chi' ac ati, e.e.
> 'Mae hi'n oer,' dywedodd Sali. > Dywedodd Sali ei bod
> hi'n oer.

Ysgrifennwch ffurf anunion y brawddegau hyn (gan gofio newid
geiriau fel 'arna i' hefyd).

1. 'Roedd fy mam wedi mynd allan,' dywedodd Sanjay.
2. 'Mae Gary'n mynd i ennill,' dadleuodd Arwyn.
3. 'Mae'r lle'n codi ofn arna i,' sibrydodd Nel.
4. 'Rydw i am fynd i'r sinema,' eglurodd Susan.
5. 'Maen nhw'n deall beth i'w wneud!' dadleuodd yr athro.
6. 'Yr wyf fi'n bwriadu aros yng Nghymru,' eglurodd y Sbaenwr.
7. 'Gadewais y wlad am ei bod mor unig yno,' dywedodd yr hen wraig.
8. 'Rydym yn hollol sicr bod y stori'n wir,' protestiodd y disgyblion.
9. 'Rydym yn gobeitho mynd i Gaerdydd,' eglurodd y myfyrwyr.
10. 'Mae gwersylla yn fath gwych o wyliau!' dadleuodd Howard.

Cymalau 5

Bydd y cymal sy'n dilyn 'er'/'am'/'oherwydd'/'achos'/'gan' yn dechrau gyda 'bod'/'fy mod i'/'dy fod ti'/'ei fod ef'/'ei bod hi'/'ein bod ni'/'eich bod chi'/'eu bod nhw (hwy)'.

Cywirwch y rhain.

1. Am bod fi'n byw yn y dref rhaid i fi gerdded i'r ysgol.
2. Chafodd Wilff ddim prynu cwrw er bod ef yn ddeunaw oed.
3. Achos fod fi'n hwyr cefais gosb.
4. Am bod mae o wedi anghofio ei git chaiff o ddim chwarae pêl-droed.
5. Er mae hi ar ddeiet mae hi'n dal i bwyso pedair stôn ar ddeg.
6. Dydy e ddim yn bwyta cig achos bod fe'n llysieuwr.
7. Mae'r hinsawdd yn newid oherwydd bod mae'r byd yn cynhesu.
8. Er bod ni'n ailgylchu papur mae coed yn dal i gael eu torri.
9. Er bod nhw'n haeddu ennill doeddwn i ddim yn eu hoffi!
10. Rydw i'n caru fy mrawd bach oherwydd fod mae e'n ddoniol.

Cymalau 6

> **'oherwydd' + 'bod'/'fy mod i'**
> e.e. Rwyf am fynd i weld Les Miserables. Mae hi'n ffilm dda. > Rwyf am fynd i weld Les Miserables oherwydd ei bod hi'n ffilm dda.

Gwnewch un frawddeg o bob pâr gan ddefnyddio 'oherwydd' + 'bod'/'fy mod i' ac ati.

1. Roedd Huw wrth ei fodd. Roedd hi'n nos Wener.
2. Mae gennyf arian i'w wario. Rydw i newydd gael fy mhen-blwydd!
3. Cafodd y plant eu cosbi. Roedden nhw wedi torri ffenestr.
4. Rwy'n edrych ymlaen at fynd i Sbaen. Bydd merched pert yno.
5. Nid yw Gwyneth yn gallu mynd ar y trip. Mae hi'n gweithio.
6. Mae gwm cnoi wedi cael ei wahardd. Mae'n frwnt.
7. Chaiff ceir ddim gyrru dros 30 milltir yr awr yma. Mae plant o gwmpas.
8. Bydd Malcolm yn bwyta llawer o gig. Mae arno angen protein.
9. Does gen i ddim amynedd i weithio. Mae hi'n rhy dwym!
10. Cewch fynd adre'n gynnar. Mae hi'n mynd i fwrw eira.

Cymalau 7

> Yn dilyn 'Rydw i'n meddwl/credu' mae 'bod'/'fy mod i' ac ati
> + 'n'/'yn' + treiglad meddal.
> e.e. Pennod ddiflas. > Rydw i'n meddwl ei bod hi'n bennod
> ddiflas.

Ysgrifennwch y rhain mewn brawddeg yn dilyn 'Rydw i'n meddwl' a ffurfiau 'bod'.

1. Cymeriadau gwan.
2. Nofel gyffrous.
3. Llyfr anturus.
4. Gwers ddiddorol.
5. Arbrawf peryglus.
6. Stori drist.
7. Digwyddiadau di-fflach.
8. Gêm undonog.
9. Cerdd lwyddiannus.
10. Disgyblion cwrtais.

Cymalau 8

> Mae dechrau gormod o frawddegau gyda 'mae'/'roedd'/'bydd' yn gwneud gwaith yn ddiflas. Trwy newid trefn y frawddeg a gosod geiriau ar ddechrau'r frawddeg rydych yn gallu tynnu sylw at y gair/geiriau hynny.

Symudwch y gair/geiriau sydd wedi eu tanlinellu i ddechrau'r brawddegau hyn gan dreiglo a gwneud newidiadau eraill pan fo angen.

1. Mae'r gêm <u>ar gae Sain Helen</u>.
2. Bydd Alwen yn mynd i'r ysgol yn gynnar <u>weithiau</u>.
3. Bydd <u>Morgannwg</u> yn chwarae criced yng Ngerddi Sophia bob haf.
4. Byddaf yn mynd i aros <u>at Mam-gu a Tad-cu</u> bob gwyliau ysgol.
5. Mae <u>fy mam</u> yn dod o Ogledd Cymru.
6. Fy mhrif ddiddordeb yw <u>chwarae pŵl</u>.
7. Y mynydd uchaf yn y byd yw <u>Everest</u>.
8. Mae'r ysgol yn dechrau <u>am hanner awr wedi wyth</u> bob dydd.
9. Mae cefndir y llun yn <u>las</u>.
10. Mae <u>cefndir</u> y llun yn las.

90

Cymalau 9

Mae defnyddio 'y'/'yr'/''r' yn dilyn 'tra', 'os', 'pan' yn anghywir.

Cywirwch y brawddegau hyn.

1. Tra yr oeddwn i yn Majorca llosgais fy nghefn.
2. Os yr wyt ti'n gweithio'n galed cei ganlyniadau da.
3. Pan y gwelais wiwer lwyd yn fy llofft dychrynais!
4. Tra yr oedd e'n bwyta ei frecwast canodd y ffôn.
5. Pan yr oeddem yn cael picnic dechreuodd fwrw glaw.
6. Os y gwela i di yn yr ysgol wna i ddim cymryd sylw ohonot.
7. Cofia roi dŵr i'r tomatos tra y bydda i i ffwrdd.
8. Tra y byddwch chi'n gwneud yr arbrawf fe gaf baned o goffi.
9. Galwch i'm gweld os y cewch gyfle.
10. Pan yr oeddwn yn fach roeddwn yn hoffi'r Simpsons.

Cymalau 10

> Rydych yn defnyddio 'y' i gysylltu cymal â'r brif frawddeg:
> - pan fo ail ran y frawddeg yn fwy i'r dyfodol na'r rhan gyntaf, e.e. Rydw i'n sicr. Caf amser da. > Rydw i'n sicr y caf amser da.
> - pan fo arddodiad rhediadol yn yr ail ran, e.e. Merch hoffus yw Gwen. Sonnir amdani yn ... > Merch hoffus yw Gwen y sonnir amdani yn ...

Cysylltwch y parau hyn o frawddegau.

1. Mae'n gwybod. Bydd yn hapus gydag Eleri.

2. Wyt ti'n sicr? Gei di amser da yn Sbaen?

3. Does dim amheuaeth. Caiff ei ddal ryw ddydd.

4. Mae ffermwyr yn gobeithio. Cânt fwy o grantiau.

5. Dywed gwleidyddion. Bydd costau tanwydd yn gostwng.

6. Stuart yw'r cnaf. Sonnir amdano ar y newyddion.

7. Mae'r proffwydi tywydd yn rhag-weld. Bydd hi'n aeaf stormus.

8. Mae pobl ifanc yn byw mewn gobaith. Bydd arholiadau yn cael eu dileu.

9. Gweddïa Daniel bob nos. Bydd yn cael ei dderbyn i'r coleg.

10. Nofel wych yw 'Helo'. Cyfeirir ati yn y cylchgrawn.

Cymalau 11

Ydych Chi'n Cofio?
Mae deg camgymeriad yn y darn. Cywirwch nhw.

Mae fy nheulu yn dweud bod mae fi yr un ffunud â'm tad-cu ond dydw i ddim yn ei gofio am bod roedd e wedi marw cyn i fi gael fy ngeni. Maen nhw'n dweud fy mhod yn debyg am bod fi ddim yn hoffi dŵr! Ddim yn hoffi nofio maen nhw'n ei feddwl! Pan yr oeddwn i'n fach syrthiais i'r afon. Os y cofiaf yn iawn dyna pryd y dechreuais ofni dŵr. Mae hyn yn anffodus braidd. Oherwydd ni fel teulu yn byw ar lan y môr rydyn ni'n mynd i'r traeth yn aml. Pan y bydd pawb arall yn mwynhau eu hunain yn y môr byddaf yn teimlo'n unig am dydyn nhw ddim yn cydymdeimlo gyda fi. Weithiau byddaf yn creu storïau am Tad-cu er wnes i ddim ei adnabod erioed.

Cwestiynau 1

Mae llawer o eiriau Cymraeg am *'yes'* a *'no'*.

Dewiswch yr ateb neu'r ymateb cywir o'r bocs ar y dde. Yna cysylltwch ef â'r frawddeg neu'r cwestiwn priodol.

1. Wyt ti wedi gorffen y gwaith cartref mathemateg?	Naddo.
2. Weloch chi'r ffilm neithiwr?	Gwelwn.
3. Oeddet ti a dy chwaer yn y grŵp?	Ydw.
4. Fydd e'n sefyll ei arholiadau eleni?	Ydy.
5. Mae hi'n oer iawn heddiw.	Oeddem.
6. Fydda i'n cael anrheg os enillaf i?	Oes.
7. Welwch chi'r gêm nos yfory?	Byddi.
8. Roeddwn i'n ffôl i feddwl byddwn i'n llwyddo heb weithio.	Oeddwn.
9. Mae tri arholiad ganddo wythnos nesaf.	Oeddet.
10. Oeddet ti'n hwyr eto?	Bydd.

Cwestiynau 2

Dyma'r atebion, ond beth ydy'r cwestiynau?

1. Bydda, bydda i'n mynd i ffwrdd wythnos nesaf.
2. Nac oeddwn, doeddwn i ddim wedi gweld y ffilm yna.
3. Ydy, mae hi'n dod i'r ysgol ar y trên bob dydd.
4. Na fyddwch, fyddwch chi ddim yn cael gwaith cartref fory.
5. Dylwn, dylwn i wneud gwaith cartref bob nos.
6. Oeddet, roeddet ti'n ddrwg iawn.
7. Hoffen, hoffen ni fyw yn nes i'r dref.
8. Byddi, byddi di'n gallu mynd adre'n gynnar heno.
9. Do, ces i swydd ran-amser dros y gwyliau.
10. Naddo, chawson nhw ddim sglodion i ginio.

Cwestiynau 3

'Sydd'/'sy'/'mae' neu **'yw'/'ydy'?**
Rydyn ni'n defnyddio 'sy'/'sydd' gyda:
- 'Pwy' + 'yn'/''n'/'wedi' + berfenw, e.e. Pwy sy wedi ennill?
- 'Beth' + 'yn'/''n' + ansoddair, e.e. Beth sy'n gynnes?
- 'Faint' + 'yn'/''n' + arddodiad, e.e. Faint sy yn y cae?
- 'Pa' + enw + 'yma'/'yna'/'yno', e.e. Pa blant sydd yma heddiw?

Rydyn ni'n defnyddio 'yw'/'ydy' gyda:
- 'Pwy' + enw (neu 'y'/'yr'/''r' + enw), e.e. Pwy yw'r deintydd?
- 'Beth' + rhagenw, e.e. Beth yw e?
- 'Faint' + 'hwn', 'hon', 'hyn', 'hwnna', 'honna', 'rheina', e.e. Faint yw hwn?
- 'Pa' + enw

Rydym yn defnyddio 'mae' a ffurfiau cwestiwn eraill y ferf bod gyda 'Ble?' 'Pryd?' 'Pam?' 'Sut?' a 'Gyda phwy?' e.e. Ble maen nhw'n byw?

Rhowch ffurf gywir y ferf bod ('yw'/'ydy'/'mae'/'sydd'/'sy') yn y bylchau.

1. Faint _____ dy oed di?
2. Ble _____'r plant wedi rhoi'r pensiliau lliw?
3. Pwy _____ wedi talu am y rhaglen?
4. Sut _____ mae dy frawd yn mynd i Sbaen?
5. Beth _____ nhw'n mynd i'w wneud heno?
6. Faint _____ pris y creision yma?
7. Pa ffrwythau _____ 'n dda i chi?
8. Pwy _____ cyflwynydd y newyddion rŵan?
9. Pryd _____'r sioe yn dechrau fory?
10. Pam _____ cariad Dafydd wedi digio?

Cwestiynau 4

Gofynnair a threiglad

'Sut'	+ berf	-	Sut cyrhaeddodd e'r dref?
'Sut'	+ enw	+ treiglad meddal	Sut ddoctor yw e?
'Pryd'	+ berf	-	Pryd talaist ti am y cylchgrawn?
'Ble'	+ berf	-	Ble prynon nhw dŷ?
'Beth'	+ berf	+ treiglad meddal	Beth welsoch chi ar y teledu?
'Faint'	+ berf	+ treiglad meddal	Faint gawsoch chi?
'Pwy'	+ berf	+ treiglad meddal	Pwy gaiff y wobr?
'Pa'	+ enw	+ treiglad meddal	Pa liw oedd y papur wal?
'Pa'	+ enw + berf	+ treiglad meddal	Pa gar brynaist ti?

Edrychwch ar y geiriau sydd wedi eu tanlinellu yn y cwestiynau isod.
Cywirwch nhw os oes angen.

1. Faint <u>cawson</u> nhw am yr hen gar?
2. Pa <u>lyfr</u> oedd ar y silff lyfrau?
3. Sut <u>clywodd</u> hi am y swydd?
4. Sut <u>dyn</u> yw e?
5. Pryd <u>welaist</u> ti'r ffilm?
6. Ble <u>rhoddaist</u> ti'r allweddi?
7. Beth <u>prynaist</u> ti yn y ffair?
8. Pwy <u>roddodd</u> ganiatâd i chi?
9. Pa <u>blodau</u> dyfodd e?
10. Pa <u>marc</u> gafodd hi am y traethawd?

Cwestiynau 5

Ydych Chi'n Cofio?

Cywirwch y brawddegau hyn. Mae un gwall ym mhob brawddeg.

1. Roedd hi'n oer iawn ddoe. Ie.
2. Beth bydd o'n ei wneud yn Llundain?
3. Talodd o am y gwyliau? Naddo.
4. Sut bachgen yw dy gariad newydd di?
5. Pryd glywaist ti'r newyddion?
6. Faint costiodd y gwyliau iddyn nhw?
7. Pwy sy'n pennaeth yr ysgol gyfun newydd?
8. Pam ydy'r tywydd mor wlyb?
9. Mae ganddi hi gath fach wen? Ie.
10. Pwy ydy'n gyrru yn rhy gyflym?

Elfennau Seisnig 1

> Mae 'i fyny' neu 'lan' yn cael ei ychwanegu'n aml yn Saesneg. Nid yw'n gywir yn Gymraeg.

Cywirwch y brawddegau a ganlyn gan wneud unrhyw newidiadau eraill angenrheidiol.

1. Bydd fy mrawd a fi yn <u>golchi i fyny</u> bob yn ail.
   (g—— ll——-)
2. Byddaf yn <u>codi i fyny yn</u> hwyr bob bore Sadwrn.
   (c—-'-)
3. Wyt ti wedi <u>edrych lan</u> yn Wicipedia?
   (ch——-)
4. Cawson nhw eu <u>dwyn i fyny</u> yn Lloegr.
   (m—- neu c—-)
5. Rydw i'n gobeithio <u>gwneud fy ystafell lan</u> yn ystod y gwyliau.
   (a— w—— f- y———-)
6. Mae e wedi <u>rhoi chwarae golff lan</u>.
   (rh—'- g—— i ch——- g—-)
7. Mae <u>rhoi pabell lan</u> yn waith caled pan fo'n wyntog.
   (c—- p——)
8. Yn yr ystafell gelf disgwylir i bob disgybl <u>glirio i fyny</u>.
   (g——-)
9. Wnaeth y grŵp ddim <u>troi i fyny yn</u> y gig o gwbl.
   (c——)
10. <u>Gwna dy feddwl lan</u>, wnei di!
    (P———-)

Elfennau Seisnig 2

> Oherwydd dylanwad Saesneg caiff 'i' ac 'allan'/'mas' eu defnyddio'n ddiangen neu yn lle gair arall.

Cywirwch y rhain gan gofio treiglo pan fo angen.

1. Mae'n wir i ddweud.
2. Rwyf wedi ffeindio allan ble mae'n byw.
3. Penderfynais i i orffen y gwaith.
4. 'Balch i glywed!' meddai.
5. Dechreuodd Sian i ganu pan oedd yn bedair oed.
6. Rhedodd nes ei fod mas o wynt.
7. Dywedais wrtho i fynd adref.
8. Roedd hi'n hyfryd i weld fy modryb ar ôl yr holl amser.
9. Penderfynodd y plismon i'w holi.
10. Alla i ddim gweithio'r broblem mas.

Elfennau Seisnig 3

> Mae nifer o eiriau neu ymadroddion Seisnig yn cael eu defnyddio yn lle geiriau neu ymadroddion Cymraeg.

Mae gair neu ymadrodd Seisnig ym mhob brawddeg.

Dewiswch yr un cywir o'r rhestr isod:

sefyll, ailadrodd, ymweld, digwydd, colli, dilorni, ymlwybro, dreulio, weithiau, sylwi

1. Mae llawer o bethau yn cymryd lle yn ein pentref.
2. Roedd yr hen wraig yn gwneud ei ffordd yn araf tuag at ei chartref.
3. Byddai'r athro cas yn rhedeg i lawr ei ddisgyblion trwy'r amser.
4. Methodd ei arholiadau am iddo wario gormod o amser yn diogi.
5. Roeddwn yn methu fy mrawd pan aeth i'r coleg.
6. Rhai amserau bydd tywydd braf yng Nghymru!
7. Dylwn dalu ymweliad â'm nain yn amlach.
8. Collodd farciau am ail-ddweud ei hun yn y traethawd.
9. Cefais ddamwain am na wnes i dalu sylw ar y car.
10. Mae'n gas gen i eistedd arholiad!

Elfennau Seisnig 4

Enwau lleoedd

Cysylltwch yr enwau lleoedd Cymraeg gyda'i henwau Saesneg cyfatebol.

Caerwrangon	Leicester
Caerlŷr	Usk
Brynbuga	London
Llundain	Chester
Abergwaun	Worcester
Yr Wyddgrug	St Asaph
Caer	Holyhead
Llanelwy	Cardigan
Caergybi	Fishguard
Aberteifi	Mold

Elfennau Seisnig 5

Cyfieithwch y rhain i'r Gymraeg.

1. The Seven Wonders of Wales
2. The National Eisteddfod of Wales
3. Rugby Championship
4. Top League
5. Welsh Speakers
6. Member of Parliament
7. Assembly Member
8. County Office
9. Social Service
10. Public Services

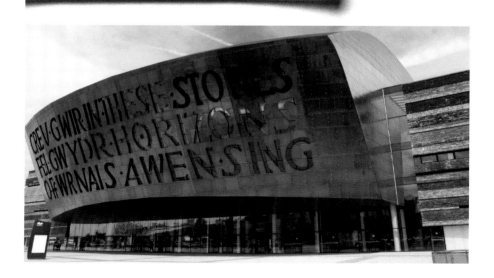

Elfennau Seisnig 6

> Cofiwch bod 'Y' neu 'Yr' yn dod ar ddechrau enw ambell wlad, e.e. Yr Iseldiroedd, Y Ffindir.

Ym mha wlad ydw i?

1. Rydw i yn Rhufain.
2. Mae gen i frawd o'r enw Pierre.
3. Gellwch ddod yma ar gwch o Abergwaun neu Aberdaugleddau.
4. Mae pobl sy'n byw yma yn hoffi cennin.
5. Yma roedd Tutankhamun yn byw ers talwm iawn.
6. Rydyn ni'n cael siesta bob pnawn ac yn byw ar y Costa Brava.
7. Mae dynion y wlad hon yn gwisgo sgertiau!
8. Amser maith yn ôl sefydlwyd Gwladfa Gymreig yma.
9. Mae'r wlad hon yn agos iawn i Awstralia.
10. Mae'r wlad hon i'r gogledd o'r Unol Daleithiau.

Elfennau Seisnig 7

Beth ydy'r enwau Cymraeg am yr afonydd a'r mynyddoedd hyn?

1. Dee

2. Conway

6. Snowdon

8. Snowdonia

10. Plynlimon

7. Brecon Beacons

9. The Black Mountain

5. Wye

4. Severn

3. Taff

Chwilio'r gwallau 1

Elfennau Seisnig 8

Ydych chi'n ddiog ac yn defnyddio geiriau Saesneg yn lle rhai Cymraeg? Rhowch y gair Cymraeg cywir am y rhain.

1. Cleimio

2. Smocio

3. Syffro

4. Cnocio

5. Joio

6. Fflio

7. Campio

8. Starto

9. Pwsho

10. Aimio

Elfennau Seisnig 9

Ydych Chi'n Cofio?

Mae deg camgymeriad yn y paragraff isod. Cywirwch nhw.

Nos ddoe teithiodd hanner cant o ddisgyblion ysgol ar gwch o Ddulyn i Holyhead. Maen nhw wedi dod i weld Saith o Syndodau Cymru ac maen nhw am gleimio'r Wyddfa. Dydy'r athro mewn gofal, Mr McDonald, ddim wedi gwneud ei feddwl i fyny pa lwybr i'w gymryd eto ond dywedodd, 'Mae'n wir i ddweud y byddan nhw wedi blino ond chaiff neb roi lan, hyd yn oed os bydd hi'n tywallt y glaw! Ond, ar ddiwedd y dydd yr hyn sydd arnyn nhw eisiau ei wneud ydy dod i ddeall y ffordd Gymreig o fyw a gweld sut mae plant Cymru yn cael eu codi lan. Felly, mi fyddan nhw'n gwario i gyd o'r amser gyda theuluoedd.

Chwilio'r gwallau 2

Ewch ati i gywiro'r darnau canlynol

Chwilio'r gwallau 2

Tasg 1

Mae pobl ifanc yn gallu bod mor andiolchgar! Roedd criw o ieiengtid rhwng pymtheg a thair ar bymtheg oed wedi mynd ar wiliau gwersylla yn Ffrainc. Er bod ganddo nhw yr holl bwyd doedden nhw ddim yn happus. Pam tybed? Bwyd ffrengig oedd e! Doedd dim KFC na McDonalds yn mynyddoedd y Pyreneau! Felly, beth wnaeth nhw? Pwdu!

Tasg 2

Haia. Nodyn sydun. Wedi trefnu mynd i gweld ffilm nos heno os mae hynny'n iawn gen ti. Fi'n codi ti am ddau ddeg pump munud i wyth. Iawn? Mae Carys hefo annwyd felly mae hi am aros yn y ty. Bydd hi ar ei pen ei hun bach

Tasg 3

Annwyl Tim,

Dim ond gair byr i egluro pam dw i wedi adael ti. Rydw i am byw fy mywyd i'r llawn o hyn ymlaen. Does gen ti ddim syniad faint o anodd oedd gwneud hyn. Cefais fy perswadio gan Julie, ffrind fi. Dywedodd hi bod roedd fi yn byw bywyd diflas ac y dyliaf gael profiadau mwy da cyn iddyf fi fynd yn rhy hen.

Hwyl

Marged

Tasg 4

Dydd Gwener
Yn Ibiza rydw i nawr. Mae'r haul mor lachar a dwym! Roeddwn mewn bwyty ar fy ben fy hun pryd ddaeth criw o ferched draw a gofyn os oeddwn am fynd i'r disgo gida nhw. Dywedais bod fi eisiau llonydd ond roedd nhw'n benderfynol! Wedyn roeddwn i'n falch fy mod i wedi mynd oherwydd cafodd ni amser ffantastig! Edrych ymlaen at cael amser hyfryd gyda'r merched yna eto yfory.

Tasg 5

Oddi wrth:	rhidian@abc.com
At:	grug@bt.com
cc:	
Pwnc:	Ymddiheuriad

Gair byr i ddweud sorry. Doeddwn i ddim wedi meddwl brifo ti. Dim ond mynd i Llundain am benwythnos gyda'r bechgyn wnes i. Doedd fi ddim gyda merch arall, wir i ti. I gyd o'r amser roeddwn i i ffwrdd am ti roeddwn i'n meddwl! Wna i erioed fynd i ffwrdd fel'na heb dweud wrthyt ti eto. Wnei di maddau i fi? Rydw i dros fy mhen a'm sodlau mewn cariad gyda thi!

Tasg 6

MUNUDAU
PWYLLGOR APÊL CAERIESTYN

---

7 o'r gloch, nôs Fawrth, Mai 10fed

Presenol: Robin Owen, Sioned Davies, Meilir Llwyd, Owen Griffiths, Karen Birbley, Susan Thomas.

Ymddiheuriadau: Bethan Hughes, Gerallt Morris

1. Darllenwyd gofnodion cyfarfod mis Ebrill a chafwyd hwy yn gywir.

2. Roedd yr eulodau yn falch iawn o glywed am lwyddiant y Ffair Wanwyn. Byddai yr elw o £678 yn mynd tuag at adeiladu estyniad i'r cwt band.

3. Dywedodd Karen Birbley y bydd y cyngerdd roc yn gael ei gynnal yn Neuadd y Dref ac nid yn y Neuadd Idris. Awgrymodd Sioned Davies y dylsid gwahodd pobl ifanc lleol i helpu gyda'r paratoadau. Cytunodd yn unfrydol i yrru llythyrau at glybiau ieuenctid lleol yn gofyn iddynt ddewis cynrychiolwyr i ymuno â'r pwyllgor.

Tasg 7

Ysgol Uwchradd Sant Ioan
Lerpwl
LL59 3DT

Anwyl Bawb

Mond gair byr i'ch atgoffa am ambell beth am y trip i Oakwood:
Bydd y bws yn gadael maes parcio'r ysgol am 7 o'r gloch ddydd
Iau, Gorfennaf 17eg ac yn ôl tua naw o'r gloch y nos.
Fydd angen pecyn bwyd.
Cofia fynd ar y bws cywir. Does gan neb hawl i newid bws.
Ni chaniateir bwyta nag yfed ar y bysiau.
Peidiwch â dod â rhy gormod o arian gyda chi.
Cofiwch dod â chot law ac eli haul gyda chi.
Os yr ydych yn cymryd meddyginiaeth rhowch hi i'r
athro/athrawes i ofalu amdanddi.
Bydd y bws yn ôl ym maes parcio'r ysgol tua naw o'r gloch.

Yn gywir

John Davies

(Dirprwy Brifathro)

Tasg 8

Mae pobl wedi bod yn agos i anifeiliaid erioed. Hela anifeiliaid am fwyd byddai dynion gyntefig. Yna daeth yn haws codi anifeiliaid lan i ladd nhw am fwyd. Roedd yr hen eifftiaid yn addoli cathod. Roedd y dduwies Bastet gyda ben cath hydnoed. Ond, yn anffodus mae pobl ddim wedi bod yn garedig wrth gathod bob amser.

Yn y ganrif ddiwethaf ceffylau oedd yn cael ei cam-drin fwyaf a hynny yn y pwllau glo a'r ffatrïoedd.

Tasg 9

Pam fod bechgyn bob amser yn hoffi ceir cyflym? Mae wedi bod felly ers cyn côf ac mae'n siŵr y bydd hi felly erioed. Rhai weithiau mae'r bechgyn yn symud ymlaen i weithio gyda ceir. Mae pob bachgen yn adnabod enwau ceir, e.e Mercedes Benz sy'n ddod o'r Almaen. Ei symbol ydy seren gyda tri phwynt sy'n cynrychioli tir, môr a awyr. Ar y law arall, car o Brydain ydy Jaguar a'r un mwyaf poblogaidd oedd yr *E Type* gafodd ei brofi ar yr M1.

Tasg 10

Mae gan Langollen lawer o hanes o'r pont sy'n dyddio'n ol i'r pedwerydd ganrif ar ddeg dros afon dyfrdwy i gamlas a reilffordd o'r bedwaredd ar bymtheg ganrif. Mae yna hefyd olion o'r gorffennol diwydianol a ellir eu harchwilio. Gellir gwneud hun trwy fynd ar teithiau cerdded.

Tasg 11

Camwch yn ôl mewn amser i brofi dros chi eich hunain y bleser o fynd ar gwch sy'n cael ei thynnu gan geffyl. Gwyliwch y pysgod yn nofio'n ddioglud wrth i'r gwch lithro'n tawel trwy'r dŵr clir. Bydd adar ysglyfeuthus yn aml yn yr awyr a gellwch ei gwylio'n hofran uwchben. Ewch a bwyd gydag chi a mwynhewch bicnic yn heddwch y wlad.

Tasg 12

Prosesau Bywyd

Gall rhannu popeth ar ein planed i ddwy grŵp – pethau byw a phethau sydd ddim yn fyw. I weld os ydy planhigyn neu anifail yn fyw neu peidio mae'n rhaid chwilio am brosesau bywyd. Y pump proses gydag anifeiliaid ydy symyd, tyfu, bwydo, defnyddio'r synwyrau (arogli gweld, blasu, cyffwrdd, gwrando) ac atgenhedlu. Gyda planhigion mae'n rhaid chwilio am dair proses bywyd sef tyfu, bwydo a atgenhedlu.

Tasg 13

Dannedd

Pwrpas dannedd ydy torri bwyd yn darnau mwy bach ac yna ei falu'n fan cyn ei lyncu.

1. Dylech lanhau eich dannedd o leiaf ddau waith y dydd. Mae glanhau eich dannedd yn reolaidd yn rhwystro plac i ffurfio ar eich dannedd ac yn atal bwyd melus

   rhag troi yn asid sydd wedyn yn gwneud tyllau yn eich dannedd.
2. Dylech ymweld gyda'r deintydd yn rheolaidd.
3. Bwytawch fwyd ffres fel moron amrwd ac afal i gadw dy ddannedd yn iach.

Tasg 14

Nid yw'r ddaear erioed yn peidio a symud o amgylch y haul ac mae'n cymeryd tri cant chwe deg a phump o ddyddiau i hi wneud hynny un waith, h.y. blwyddyn! Fel mae'r ddaear yn cylchdroi o gwmpas yr haul mae'r lleuad yn cylchdroi o gwmpas y ddaear. Gwneir y lleuad hynny mewn wyth niwrnod ar ugain. Bydd y llead yn llawn ar ôl pedair niwrnod ar ddeg sef pythefnos.

Tasg 15

Dŵr yn Anweddu

Mae'r dŵr sy'n gorwedd ar wyneb y ddaear yn afonydd a moroedd yn anweddu'n ddi-baid. Beth syn achosi'r newid hwn o hylif i nwy?

- Gwres or haul.
- Gwynt yn chwythu drost y tir a'r môr.

Mae'r anwedd dŵr yn codi, yn oeri ac yn troi'n gymylau ac sy'n cael eu gwneud o ddafnau bach o ddŵr. Wrth i'r cymylau gael ei chwythu i mewn i'r tir maen nhw'n codi'n uchelach ac yn taro yn erbyn y mynyddoedd. Mae hyn yn eu oeri ymhellach a ffurfiwyd dafnau mawr o ddŵr sy'n syrthio fel glaw neu hydnoed eira.

Tasg 16

Problem Fathemategol!

Mae pris mynediad i blant i Barc Brychdyn yn rad eithriadol sef £1! Wedi hyny mae pob reid yn costio £5.25. Gellir oedolion fynd i mewn am £5 ac mae pob reid i nhw yn costio £7.25. Os buasai teulu o dau oedolyn a phedwar phlentyn yn mynd yno a phob un yn fynd ar naw reid faint newid fasai'r tad yn ei gael o ganpunt?

Tasg 17

> **Dydd Sadwrn, Gorffennaf 17eg**
>
> Diwrnod i'w chofio! Diwrnod priodas fyn mrawd hŷn! Roedd fi'n teimlo'n anhyfforddus yn y siwt lwyd ar tei mawr ond roedd pawb yn dweud bod fi'n wirioneddol waw! Fi ddim cael cariad chwaith! Gyda'r nos fe fues i'n dawnsio gyda fy cyfnither, sy'n saith oed, i gyd o'r amser. Mae hi ddwy flynedd yn hyn na fi.

Tasg 18

Adroddiad Ysgol

Nid yw gwaith Meurig cyn gystal ag arfer. Mae wedi bod yn ddiog yn diweddar. A dweud y gwir mae wedi gorffwys ar ei gwch ym mhob pwnc arwahân i addysg gorfforol. Maen rhaid iddo sylweddoli na ar chwarae bach y mae llwyddo ac os oes arno  eisiau mynd i coleg i astudio chwaraeon bu yn rhaid i fo ymdrechu'n lawer caletach.

Tasg 19

Oddi wrth:	dafydd.puw@cba.co.uk
At:	erin.jones@bryngwyn.com, gwawr.2lewis@meinillwyd, a 23 arall
cc:	
Pwnc:	Clwb Ieuenctid

Mae neuadd y pentref yn cael ei adnewyddu y geuaf hwn, fel y gwyddoch. Oherwydd hynny ni bydd yn bosibl cynal y Clwb Ieuenctid yno. Rydym wedi bod mor ffodus â cael defnyddio neuadd yr eglwys ond bydd yn rhaid iddom ni newid noson y clwb o nos Lun i nos Fawrth. Er ein bod ni'n gwneud hynny mae ni ddim yn newid yr amser. Bydd y cyfarfodydd yn dechrau am hanner di chwech fel arfer. Felly, cofiwch! Nos Fawrth, Medi 6ain, 6.30 or gloch. Neuadd yr Eglwys.

Tasg 20

Portread

Er i taid fi gael ei ddwyn i fyny yn Llanberis wrth droed yr Wyddfa, mynydd uchelaf Cymru a Lloegr, fuodd o byth i fyny'r mynydd hwnnw. Pam tybed? Wel, mae fi ddim yn gwybod! Efallai bod cerdded neu dringo mynyddoedd ddim mor boblogaeth ers talwm. Doedd o ddim yn ddyn diog, beth bynnag. Bydd o'n cerdded deg milltir i weithio yn y chwarel bob dydd, haf a gaeaf.

Tasg 21

Agenda
Pwyllgor Clwb Y Dref
nos Fercher 15eg Ionawr am 6.30 y.h.
Croeso'r gadeirydd
Ymddiheiriadau
Cofnodion a materion yn codi o'r gofnodion
Ethol sywddogion newydd
Adroddiad ar cyngerdd Nadolig y clwb
Digwyddiadau'r gwanwyn
Dawns Sant Ffolant
Noson Gwyl Ddewi
Derbyn gwybodaeth am teithiau'r haf
Unrhyw fater eraill
Dyddiad y gyfarfod nesaf

Tasg 22

Cywirwch y gwallau yn y paragraff yma ac ysgrifennwch ymadroddion Cymraeg da yn lle rhai o'r ymadroddion Seisnig.
Aeth Rhodri i dri ysgol gynradd achos roedd eu rieni wedi gorfod symud i gael gwaeth. Rhai weithiau, roedd hi'n anodd gwneud ffrindiau ac roedd e'n teimlo ei fod e'n colli allan. Roedd e ddim yn hapus o gwbl pan oedd e yn blwyddyn 6. Beth bynnag, mae pethau wedi setlo nawr. Mae e newydd symud i'r ysgol uwchradd ac mae wedi gwneud llawer o ffrindiau dda. Mae e'n mynd i weld y gêm gyda dau o nhw dydd Sadwrn ac yna bydd nhw'n mynd i gael bwyd ar y ffordd adre.

Tasg 23

Cywirwch y gwallau. Mae un gwall ym mhob brawddeg.

1. Byddaf yn mynd i'r sioe achos dw i wedi cael tocyn yn rhydd ac am ddim.
2. Roedd pawb yn cwyno bod rhy gormod o waith ganddynt.
3. Doedd hi ddim yn gallu chwarae am dau wythnos ar ôl iddi gael anaf.
4. Bydd hi'n gwisgo ei hoff dilledyn i'r gig.
5. Roedden nhw'n cystadlu yn y neuadd o'r pentref, rwy'n meddwl.
6. Roeddwn i'n siŵr roedd hi wedi talu am fy nhocyn.
7. Glywaist ti am nhw'n colli'r bws ac yn cael lifft adre mewn lori?
8. Gwelwyd Jessica y sioe neithiwr ac roedd hi'n dda iawn.
9. Pwy ydy dy hoff band di?
10. Dylet ti ddechrau adolygu heno?

Tasg 24

Theatr y dref
Archebu tocynnau
Gallwch chi brynnu tocynnau ar ein wefan. Mewngofnodwch yn
www.theatrydref.cym ac ewch i'r adran 'Tocynnau'. Mae ffi o punt am
bob tocyn a archebwyd ar lein.
Gallwch hefyd gael tocynnau o'r swyddfa yn bersonnol neu dros y ffôn.
Mae ffi o hanner can ceiniog am bob tocyn a archebir dros y ffôn.

Dod o hyd i ni
Mae'r theatr yn yr hen dref. Gellir cerdded yno o'r ddau maes parcio
sydd yn y dref. Hefyd, mae'r orsaf drênau yn gyfleus – dim ond pum
munud ar draed ac mae'r bws yn aros o flaen y theatr. Mae'r theatr yn
hygyrch a chroesawus i bawb ac rydym yn rhoi o'n gorau i wneud eich
ymweliad mor bleserus â phosibl.

Tasg 25

Hysbysiad Treth y Cyngor

Mae ardal y Cyngor Gwledig yn cynnwys deg pentref sy'n amgylchynnu'r dref. Mae'n ymestyn dros ugain milltir sgwâr o Ben-y-Bryn i Gwm-bach. Mae'r Cyngor Gwledig yn cael ei ariannu mewn ffordd wahaniaeth i'r Cyngor Sir. Nid ydym yn derbyn grantiau gan y Llywodraeth. Maen ni'n dibynnu ar treth y cyngor, incwm llogi, ffioedd ac ati.

Mae'r cyngor wedi cyllidebu i wario ar:

neuaddau £269,000

twristiaith £25,000

parciau £254, 170

gwasanaethau arall £123, 956

Mae rhai cyfnodau sy'n brysurach o ran gwariant na'u gilydd. Er mwyn medru dygymod a hyn mae angen cronfa wrth gefn. Bydd gennym tua cwarter miliwn yn y gronfa hyn ar Fawrth 31ain.

Tasg 26

Mae cwricwlwm newydd yn cael ei addysgu ym Mlwyddyn 7 gyda pwyslais arbennig ar lythrenedd. Mae y cynllun yn cwrdd yn llawn a gofynion y Llywodraeth. Bydd ein ysgol ni'n arwain y ffordd yn yr ardal ac erbyn diwedd tymor yr hâf, gobeithiais y bydd cynydd y dysgwyr yn amlwg. Dros y dair mlynedd diwethaf, mae'r ysgol hon wedi bod yn llwyddiannus iawn ac mae'r llwyddiannau hyn wedi ei nodi'n gyson yn y papur lleol.

Tasg 27

Cywirwch y gwallau. Mae un gwall ym mhob brawddeg.

1. Byddwn yn cario ymlaen gyda'r prosiect yma y tymor nesaf.
2. Rwyf wedi gwisgo fy nhrowsus newydd a rwyf i'n barod i adael rŵan.
3. Mae hi wedi neulltuo dydd Llun i farcio'r asesiad.
4. Anfonwyd lythyr at bob rhiant ddoe.
5. Mae hi'n byw y tu allan y dalgylch.
6. Cynnigiwyd dau docyn rhad iddynt.
7. Anghofiais roi'r gwaith i'r athro mewn amser.
8. Bydd rhaid i fi roi'r arian iddi cyn ddydd Mawrth.
9. Byddwn yn ymweld a'n gefaill ysgol yn yr haf.
10. Os bydd un o fechgyn y tîm yn hwyr yn cyrraedd, caiff ei gadael ar ôl.

Tasg 28

Mae llawer iawn o bobl ifanc gyda phroblemau bwlio. Mae tyfu i fyny gyda'r bwlio parhaol yn brofiad uffernol. Rwy'n dweud hyn am fod fi wedi cael fy bwlio fy hyn pan oeddwn i yn yr ysgol. Mae gan bob ysgol bolisi gwrthfwlio ond maen nhw ddim yn glynnu ato. Ddylai penaethiaid wneud mwy i stopio bwlio yn ei hysgolion nhw.

Tasg 29

Newidiwch y darn yma o'r unigol i'r lluosog. Dechreuwch fel hyn:
'Pan oedden ni'n ifanc ...'

Pan oeddwn i'n ifanc, doedd dim dŵr na thrydan gen i yn y tŷ. Roedd rhaid i fy mrawd gario dŵr o'r tap tu allan i'r drws. Fy chwaer oedd yn gofalu bod digon o olew yn y lamp. Doedd hi ddim yn hoffi gwneud hyn ac un tro anghofiodd hi ac roedd rhaid i fi fynd i glwydo'n gynnar. Does dim syniad gennyt ti sut gartref oedd gan bobl.

Tasg 30

Dewiswch y gair cywir i'w roi yn y bwlch.

1. _____ i ddim wedi darllen 'Cilmeri' o'r blaen.	Roeddwn / Doeddwn / Oeddwn
2. Dyma'r llyfr. Wyt ti wedi clywed _____ fe?	amdana / amdano / amdani
3. Mae llawer o ddadlau _____ teuluoedd.	yn / i / mewn
4. Mae hi wedi bod yn dysgu nofio am ddwy _____.	blynedd / flynedd / flwydd
5. Wyt ti wedi gweld _____ ffilm eto?	y / yr / 'r
6. Yn fy _____ i, mae'r gerdd yn ddiddorol.	barn / marn / mharn
7. Pa gerdd _____ Tudur Dylan?	ysgrifennu / ysgrifennwyd / ysgrifennodd
8. Rwy'n meddwl y _____ well i ti adael.	bydda i'n / byddai'n / byddain
9. Pwy _____ awdur y nofel?	ydy / sy / mae
10. Darlun arwynebol o _____ sy yn y gerdd.	Gymry / Gymru / Cymru

Tasg 31

Dw i wedi bod gyda diddordeb mewn gwyddoniaeth ers yn ifanc.
Dechreuais i ymddiddori ym mhynciau gwyddoniaeth yn yr ysgol
gynradd. Bydden i'n hoffi gweld mwy o sylw i gwyddonwyr o Gymru ar
S4C. Mae cymaint o gyfoeth gwyddonol ganddon ni yma ond maen ni
ddim yn ymwybodol ohono. I ffwrdd o'r labordŷ, fydda i'n treulio llawer o
amser yn coginio ac hefyd yn canu.

Tasg 32

Oddi wrth:	kevin.toms@cerdd.com
At:	pennaeth@ysgol.cym
cc:	
Pwnc:	Ystafell gerdd

Annwyl Pennaeth

Hoffen i i'r blant yn yr ysgol cael stafell gerdd. Mae dim stafell gerdd
gyda nhw i gael gwersi. Mae amrywiaeth fawr o wersi offerynol yn yr
ysgol ac mae mor gymaint o dalent yno. Mae hi ddim yn deg bod gyd
o'r plant yn cael gwersi yn y coridor.

Yn gywir
K Toms

Tasg 33

> Mae fi'n gweithio yn gwesty bob
> nos Wener a nos Sadwrn. Mae'r gwaith yn ddechrau am
> chwech a fel arfer bydd fi wedi gorffen erbyn
> hanner awr wedi ddeg.

> Mae eisiau enill arian ar fi i fynd
> ar drip Flwyddyn 10. Rwyf wedi cael swydd yn golchi llestri
> bob dydd Sadwrn a dydd Sul rhwng
> dau a pedwar o'r gloch.

Tasg 34

Annwyl Modryb Modlen

Dw i'n dau ar bymtheg oed a mae gen i problem. Dw i'n dew iawn.
Dw i bob amser yn teimlo'n drist achos mae rhaid iddo fi gwisgo
dillad llac o hyd. Pryd dw i'n teimlo'n drist dw i'n bwyta llawer o
siocled.
Dw i eisiau colli pwysi ond fedra i ddim. Mae pawb yn meddwl
mae problem merched ydy fod yn rhy tew ond mae bechgyn yn
dioddef hefyd.

Sam

Tasg 35

Y dylanwad mwyaf ar fy bywyd i oedd fy mham. Treuliodd hi flynnyddoedd yn mynd a fi o ymarfer i ymarfer ac o gêm i gêm. Bydden i, fy mrawd a fy chwaer yn mynd i ymarferion bob penwythnos. Rhai weithiau, rhwng y tri o ni, byddai hi'n gyrru can milltir mewn diwrnod. Wnaeth hi sicrhau ein bod yn cael y gorau o bopeth a hebddi hi, bydden ni ddim wedi bod mor llwyddianus.

Tasg 36

Bara Bendigedig

Rydym yn chwilio am person ifanc i gweithio yn y siop bob nos Iau a nos Gwener rhwng bedwar a chwech o'r gloch ac hefyd ar ddydd Sadwrn rhwng naw a pump o'r gloch.

I wneud cais am y swydd ysgrifenwch lythyr i'r rheolwr. Anfonwch dau dystlythyr gyda'r cais os gwelwch yn dda.

Dyddiad cae: 23 Ebrill

Tasg 37

Ysbytŷ Bryngwyn
Ward y blant

Rheolau gyffredinol

Mae'r rieni'n gallu bod efo'r plant drwyr amser.

Mae pobl arall yn gallu ymweld rhwng dwy a phedwar o'r gloch.

Dim chwarae gêmau swnllyd a garw ar y ward.

Cofiwch bod rhai blant yn sâl iawn ar y ward.

Tasg 38

1. Mae costiau dilyn clwb pêl-droed yn ddrud ofnadwy.
2. Mae hi eisioes wedi penderfynu pa gwrs i'w wneud y flwyddyn nesaf.
3. Dylwn ymarfer yn fwy rheolaedd.
4. Ymddiheuriwn am achosi trafferth i chi.
5. Mae tîm rygbi'r merched wedi ennill llawer o gystadleuthau eleni.
6. Fi gyda diddordeb yn y swydd rydych chi'n ei hysbysebu.
7. Nid oes unrhyw beth yn bwysicach na gofalu am blant fach.
8. Roedd y côr yn canu pedwar cân.
9. Dyma'r gacen. Nedes i hi neithiwr.
10. Mae'n rhaid i fam neu thad pob plentyn fynd i weld yr athrawes.

Tasg 39

Dewiswch y gair cywir ar gyfer pob bwlch.
Dw i eisiau cael y swydd yma achos <u>hoffen/hoffwn</u> i gael y cyfle i weithio gyda <u>plant/phlant</u> y Cyfnod Sylfaen. Mae gen i lawer i'w <u>cynnig/gynnig/chynnig</u> i'r ysgol achos <u>byddwn/bydden</u> i'n hollol <u>bodlon/fodlon</u> rhoi amser i helpu gyda gweithgareddau ar ôl ysgol. Rwy wedi bod yn gweithio gyda Blwyddyn 4 am ddwy <u>flynedd/blwyddyn/blynyddoedd</u> ac rwy wedi ennill llawer o <u>brofion/brofiad</u> erbyn hyn. Ond nawr, rwy'n barod <u>am/amdan/amdano'r</u> her newydd. Dw i'n hoffi bod gyda'r plant ac rwy'n mwynhau gofyn llawer o <u>cwestiynau/gwestiynnau/gwestiynau</u> diddorol <u>i/iddon/iddyn</u> nhw.

Tasg 40

Etholiad Cyngor yr Ysgol Pleidleisiwch i

Jessica Jones

Dw i eisiau:
- sicrhau bod amgylchedd yr ysgol yn lannach efo biniau ailgylchu ym mhob ystafell dosbarth ac ar y buarth
- stopio waith cartref ar nos Wener
- caei gwared ar ymddigiad treisgar o'r ysgol ac anfon pob bwli gartref ar unwaith
- cael mwy o dewis o fwyd yn y ffreutur – mae ni ddim eisiau salad a ffrwythau bob dydd.

Cofiwch – Mae gennych dau bleidlais.

Tasg 41

Athro:	Syt wyt ti'n teimlo wrth adael yr ysgol gynradd?
Gwilym:	Ychydig bach yn cymysglyd. Rydw i'n edrych ymlaen ato gwneud pwnciau fel gwyddoniaeth a Ffrangeg ond mi rydw i'n nerfus.
Athro:	Pam ydych chi'n nerfus?
Gwilym:	Rydw i'n ofn mynd ar goll achos mae bod yr ysgol uwchradd yn lawer mwy fawr na'r ysgol gynradd.
Athro:	Oes rhywbeth arall yn dy boini?
Gwilym:	Mi fydda i'n methu i gyd o fy ffrindiau a'r athrawon ond rydw i'n edrych ymlaen at wneud ffrindiau newydd.

Tasg 42

Mabolgampau'r Ysgol

Eleni cynhaliwyd y mabolgampau ar y cyntaf ar hugain o Fehefin. Tŷ Powys ennillodd gyda 356 o marciau. Ceredigion oedd yn ail, Gwynedd yn trydydd a Phreseli yn bedwaredd. Torrwyd Jason Griffiths record y naid hir. Bysai Julie Sinclair wedi gallu torri record y naid uchel hefyd ond yn anfodus baglodd a troi eu ffêr (migwrn).

Tasg 43

Newyn

- Mae wyth cant a saith deg miliwn o phobl yn y byd yn newynu.
- Mae naw deg wyth y gant o'r rhain yn byw mewn gwledydd sy'n datblygu.
- Mae pump ar ddeg y cant o nhw yn dioddef o ddiffyg maeth.
- Yn rhannol oherwydd diffyg maeth mae dau pwint chwe miliwn o blant dan bump oed yn marw bob blynedd.
- Mae un o bob chwe phlentyn mewn gwledydd sy'n datblygu yn pwyso rhy ychydig na y dylen nhw.
- Mae un o bob pedair plentyn yn y byd yn fyr iawn am bod nhw'n dioddef o newyn.

Tasg 44

Theatr y Pafiliwn

Sut i dalu am docynnau.

Yr ydym yn derbyn rhan fwyaf o gardiau credyd. Codi'r tâl o 75c am bostio. Dylier gwneud sieciau yn daledig i Theatr y Pafiliwn. Rhaid tali am bob sedd gadw o fewn tair diwrnod ar ôl archebu neu hanner awr cyn codi'r llenni, pwy bynnag a ddaw gyntaf. Yna ceir seddau cadw sydd heb ei cadarnhau eu ailwerthu.

Tasg 45

Diogelwch yn y Gweithdy

Ydych chi'n deall pam maen bwysig i weithio'n ddiogel mewn gweithdu? Edrycha ar y llun a'i drafod yn eich grŵp.

Sawl pethau aniogel sydd yna? Rhowch gylch o gwmpas nhw.

Ar gyfer pob enghraift dywedwch pam nad yw'n diogel ac yna sut yw wneud yn ddiogel.

Tasg 46

Rheolau Labordy

Mae gweithio mewn labordy yn gwahanol i weithio yn weddill yr ysgol oherwydd bod y siawns o ddamwain yn uchelach. Er mwyn gwneud y risg yn fwy bach cadwch at y rheolau hyn:

- Dim gwthio nac rhedeg
- Dim bagiau na cotiau ar y fainc na'r llawr
- Paid â chyffwrdd tapiau nwy, soced drydan nac ynrhyw offer heb ganiatâd
- Cyneuwch wresogydd Bunsen yn ofalus gida'r taniwr cywir
- Dywedwch wrth yr athro ar unwaith os y bydd rhywbeth yn torri.

Tasg 47

Tŷ Coch

Beth sydd gan Porthdinllaen yn Pen Llŷn, Ynys Hayman yn Awstralia a Pensacola yn Florida yn gyffredin? Dyma ble mae tri o'r deg tafarn ar y traeth mwyaf poblogaidd y byd!

Agorid Tŷ Coch yn 1842 i fwydo'r dynion oedd yn adeiladu llongau ar y traeth.

Mae'r dafarn mewn safle ardderchog gyda golygfeydd godidog o i gyd o fynyddoedd Eryri.

Mond tua dau dwsin o dai sydd yn y pentref a dim ond trigolion lleol gaiff yrru car at dafarn. Rhaid i ymwelwyr gerdded ar hyd y traeth o Forfa Nefyn neu ar hyd y cwrs golf.

Ymlaciwch, cymerwch ddiod ac anadlwch aer pur y môr tra y bo'r tonnau'n llyfu'r tywod wrth dy draed!

Tasg 48

Byddwch yn arwr arbed egni!

- Trowch y goleadau i ffwrdd wrth adael ystafell.
- Cauwch y llenni yn y nos i rwystro gwres i ddianc.
- Gofynnwch i eich rhieni ostwng gwres dy ystafell.
- Dyliai'r thermostat dŵr poeth gael ei osod ar 60°C neu 140°F.
- Defnyddiwch bylbiau golau sy'n arbed egni er bod nhw'n rhoi llai o olau allan.

Tasg 49

Gwneud ein rhan

Gellir pawb o ni wneud ein rhan dros yr amgylchedd trwy sicrhau bod ni'n cofio pedwar rheol ailgylchu Gwynedd:

- Bin brown – unrhiw wastraff bwyd o'r cegin.
- Bin olwyn mawr brown – gwastraff gardd a gall ei gompostio.
- Blwch ailgylchu glas – papur, cerdyn, plastig, poteli gwydur.
- Bin olwyn gwurdd – gwastraff cartref sydd ar ôl nad sy'n gallu cael ei ailgylchu na'i gompostio.

Tasg 50

PARC CENEDLEUTHOL PENFRO

- Mae'r Parc Cenedlaethol yn cwmpasu bron i gyd o arfordir Penfro
- Ceir yn fo draethau tywodlyd, ynysoedd a chlogwynau garw, aberoedd coediog, tawel a mynydd-dir â golygfeudd gwych.
- Mae'r Parc drosodd 232.5 milltir sgwâr (602 km^2).
- Ceir pump ar ddeg Parc Cenedlaethol yn y Deyrnas Unedig. Arfordir Penfro yw un o'r rhai mwyaf bach.
- Nid oes unman yn y Parc Cenedlaethol sy'n fwy na 10 milltiroedd o'r môr.
- Yn y Parc maen nhw'n cael 13 o draethau Baner Las ac 13 o draethau Arfordir Glas.

Tasg 51

Llwybrau Beicio Dyffryn Tywi

Beth am beicio trwy rhai o olygfeydd mwyaf trawiadol Prydain ac ymweld â rhai o'r cestyll mwyaf mawreddog yn Cymru? Mae pump taith feicio i gael yn ardaloedd Llan Deilo a Llanymddyfri. Amrywir y teithiau hyn o rai byr rhwydd ar hyd gwastadedd y dyffryn i rai hir ac anodd. Pa un bynnag y dewiswch, byddwch wrth eich boddau yn cael cyfle i wirioni at ogoniant cefn gwlad y dyffryn.

Tasg 52

DIM YSMYGU

Mae pobl yn rhoi ysmygu i fyny am sawl rheswm: fel awydd i wella ei hiechyd ac i arbed arian neu am bod ar nhw eisiau denu rhywun o'r rhyw arall.

Yn y Deurnas Unedig mae un person yn marw bob pedwar munud oherwydd afiechydon sy'n gysylltiedig a ysmygu, e.e. canser yr ysgyfaint, y ceg a'r gwddf.

Gall hefyd waethygu problemau'r frest ac alergeddau fel clwy'r gwair, yn ogystal â chael sgileffeithiau anymunol fel anadl drwg. Myth yw dweud bod ysmygu yn gwneyd iddych chi golli pwysi.

Tasg 53

Cynigir Gwasanaeth Addysg Canolfan y Bryn:
- Sesiynau arbennigol i grwpiau a ysgolion
- Taflenni gwaith wedi ei cynllunio yn arbennig ar cyfer chi
- Gwybodaeth amdan weithgareddau'r ganolfan a hanes leol
- Arweiniad gan pobl broffesiynol
- Gwasanaeth dwyiaethog
- Teithiau awyr agored fydd wrth eich boddau chi

Tasg 54

Rysáit Toes Chwarae i Blant

Llawer rhatach nac phrynu toes parod!

Cynnwysion
Un lwy fwrdd o olew
Dau lwy de o *'cream of tartar'*
Un llond cwpan o dŵr
Hanner llond cwpan o halen
Un llond cwpan o flawd

Dyll
1. Rhowch bopeth mewn sosban a'i cymysgu'n dda.
2. Gadewch i fe oiri.
3. Rho y cymysgedd mewn bag plastig.

Tasg 55

Y Mynachlogydd

Sefydlodd llawer iawn or mynachlogydd rhwng yr unfed ganrif ar deg a'r trydydd ganrif ar ddeg. Roudd pob mynachlog yn berthyn i gymdeithas arbennig oedd yn cael ei galw'n urdd. Yr urdd fwyaf bwerus yng Nghymru oedd y Sistersiaid. Nhw wnaeth sefydlu mynachlogydd enwog fel Ystradfflur a Margam. Gwisgodd y mynachod wisg hir ac llac o'r enw 'abid'.

Tasg 56

Bwriad y cyfrol *Iechyd* iw:

- Helpu pobl ifanc i weithio gyda'u gilydd
- Helpu pobl ifanc i roi ysmygu i fyny
- Edrych ymlaen am y dyfodol
- Anog ieuenctid i greu perthynas iach a eraill
- Delio â phroblemau rhiwiol
- Codi ymwybyddiaith o broblemau gymdeithasol.

Tasg 57

Roeddwn i'n hofi'r ddau stori amdano greulondeb i anifeiliaid ond roedd y stori 'Dal Llygod' y gorau oherwydd roedd yr iaith yn fwy gwell. Yn y stori 'Anghenfil' roedd rhy gormod o geiriau anodd ac roedd hi'n rhi hir a ddiflas.

Tasg 58

Nodyn i Rieni

Hoffaf wahodd rhieni disgyblion blwyddyn 8 i ymweld ar ysgol rhwng bedwar a chwech o'r gloch ddydd Llun, Rhagfur 18ain. Bydd cyfle i weld gwaith y disgyblion a i ofyn unrhiw gwestiwn wrth yr athrawon. Os mae problem fawr gyda plentyn bydd yr ysgol yn trefnu amser arbennig i weld y rhiant neu'r rhieni.

Tasg 59

Oddi wrth:	huw.pritchard@ysgol.com
At:	elinor.wms@werndeg.co.uk
cc:	
Pwnc:	Cyfarfod

Gorffenaf 5fed

Mae'n ddrwg gen am beidio a ateb yn fwy cyflym. Y rheswm iw bod fi wedi bod yn eithriadol o brysir. Pob gyda'r nos rydyn ni wedi bod yn adeiladu wal o amgylch buarth yr ysgol i gadw anifeiliaid gwyllt draw. Yn ystod y dydd, fel rydych chi'n gwaebod, fi'n dysgu!

Tasg 60

Dydd Gwener, Awst 10fed

Diwrnod gwuch yn Sŵ Longleat! Cyrheuddon ni am ddau ddeg pump munud i ddeg ac roedden ni wedi mynd trwy'r giatiau o fewn deg munud. Heblaw am y mwnciod, y pryfaid oedd y gorae gen i! Dw i wedi bod yn hoff o pryfaid i gyd o fy mywyd. Euthom i weld yr eliffantod ond roedden nhw o dan do oherwydd bod hi'n rhy boeth i nhw.

Tasg 61

Mae un gwall ym mhob brawddeg. Cywirwch nhw.

1. Rhai weithiau mae llawer gormod o waith gennym.
2. Aeth y plant bach allan i gwylio'r hwyaid ar y llyn.
3. Fedra i ddim dioddef ymddygiad wael gan unrhyw un.
4. Wyt ti'n mynd i ymuno mewn gyda nhw?
5. Roedd rhaid i nhw fynd i weld y deintydd ddoe.
6. Pwy sy wedi cyfrif mas y losin?
7. Roedd dau bechgyn cryf iawn yn y tîm eleni.
8. Wyt ti wedi bwyta bwyd ti?
9. Os byddai plentyn yn ddrwg, byddwn i'n cael gair tawel â fe.
10. Dyma flas o'i perfformiad hi.

Tasg 62

Gwesty'r Llan
Bwydlen amser brecwast

Dewis o'r canlynol:

- sydd ffrwythau – dewis o oren, grawnffrwyth neu binafal
- tê, coffi, llaeth neu siocled poeth
- creision yd, miwsli neu uwd
- ffrwythau ffres
- cig moch, wy, selsig, bara saim, madarch, tomatos, ffa pôb
- tost, bara gwyn neu brown, bara soda neu cacennau

Pris y brecwast yw £12.99. Mae ar gael rhwng saith y bore a haner awr wedi naw o ddydd Llun i ddydd Gwener ac rhwng wyth a ddeg o'r gloch ar y pen-wythnos.

Tasg 63

Newidiwch y darn yma o'r lluosog i'r unigol.
Dechreuwch fel hyn: 'Es ii ...'
Aethom i ysgolion cynradd mewn trefi cyfagos. Byddem yn cerdded yno bob dydd achos doedd dim ceir gan ein teuluoedd bryd hynny. Pan oeddem yn ddigon hen dysgon ni yrru ond ni chawsom gyfle i ymarfer llawer oherwydd nid oedd gennym ddigon o arian i dalu am wersi.

Chwilio'r gwallau 2

Tasg 64

Dewiswch y gair cywir ar gyfer pob bwlch.

1.   Mae plant bach yn dysgu <u>wrth/drwy</u> chwarae.
2.   Derbyniwyd <u>wybodaeth/gwybodaeth</u> ddiddorol iawn gan yr arweinydd.
3.   Wyt ti wedi derbyn <u>cofnodion/munudau</u> y cyfarfod eto?
4.   Rwy wedi gweithio <u>yn/mewn</u> siopau mawr a bach ar benwythnosau.
5.   Wyt ti'n hoffi'r <u>gwahaniaeth/gwahanol</u> liwiau sydd yn y cwilt yma?
6.   Ydy hi'n gwybod a <u>mae/ydy</u> hi wedi ennill?
7.   Roedd <u>pedair/pedwar</u> cath ganddi.
8.   Sut <u>fyddech/byddech</u> chi'n sbarduno plentyn i ddysgu?
9.   Brifodd hi ei <u>cefn/chefn</u> pan oedd hi'n marchogaeth.
10. Mae fy <u>teulu/nheulu</u> i'n dod o Fangor.

Tasg 65

Rhowch ffurf gywir y gair sydd wedi ei danlinellu.

1.   Dyma'r blodau. Ydy hi wedi talu <u>am</u> nhw?
2.   <u>Dod</u> ef i'm gweld cyn gadael am y sioe.
3.   Ar ddiwedd y cyfarfod <u>penderfynu</u> trefnu cinio diwedd tymor.
4.   <u>Gweld</u> e'r ras fore ddoe o'i ystafell wely.
5.   Rwy'n siŵr <u>hoffi</u> hi fynd i weld sioe yn Llundain.
6.   <u>Bwyta</u> eich cinio ar unwaith.
7.   Rhoddodd hi anrheg hyfryd <u>i</u> nhw.
8.   Roedd tair chwaer <u>gan</u> hi.
9.   Gwelais i lawer o <u>damwain</u> yn fy swydd fel parafeddyg.
10. Blant, <u>mynd</u> allan i chwarae rŵan.

Tasg 66

Mae rhai geiriau wedi eu tanlinellu. Dilëwch y geiriau anghywir.

Gwella perfformiad

<u>Nod/Nôd</u> chwaraeon yw cystadlu'n deg ond yn ddiweddar mae athletwyr wedi defnyddio cyffuriau i wella <u>ei/eu</u> perfformiad. Mae hyn yn rhoi mantais annheg <u>i/iddynt</u> dros gystadleuwyr <u>arall/eraill</u>. Os yw athletwr wedi cymryd ffisig at annwyd, ni <u>dylai/ddylai</u> gystadlu. Mewn cystadlaethau pwysig, mae llawer o brofi'n digwydd ond dydy pawb ddim yn cael eu dal. Fodd bynnag, os <u>byddan/bydden</u> nhw'n cael eu dal <u>bydd/byddai</u> cosb. Ond a oes digon o brofi? <u>Os/Pe</u> byddai mwy o brofi byddai'r risg o gael eu dal yn fwy i'r twyllwyr. Efallai byddai pethau'n gwella wedyn. Dylai hyfforddwyr siarad <u>i'r/ar/â'r</u> athletwyr am y broblem pan <u>mae'n/maen</u> nhw'n ymarfer.

Tasg 67

Newidiwch y darn hwn o'r gwrywaidd i'r benywaidd.
Dechreuwch fel hyn: *'Aeth Gwen i weld ...'*

Aeth Gwyn i weld ei dad ar y ffordd adref o'i waith. Wedyn, aeth e adref at ei blant. Roedd rhaid iddo baratoi te iddynt yn gyflym achos roedden nhw eisiau mynd allan i'r clwb. Ar ôl iddynt adael, tynnodd ei esgidiau ac eisteddodd o flaen ei deledu i ymlacio cyn dechrau ar ei waith tŷ. Doedd dim llawer o amser ganddo achos roedd rhaid bod yn y clwb erbyn wyth neu byddai'r plant yn disgwyl amdano.

Tasg 68

Atal heintiau rhag lledaenu

Mae germau yn cael eu lledaenu fel arfer ar ein dwylo. Y peth pwysicaf i'w wneud os ydych chi am atal heintiau rhag lledaenu yw golchi eich ddwylo. Mae dau brif ddull o gadw'r dwylo'n lân:

- golchi dwylo efo dwr a sebon – dyma sydd orau os ydy baw ar y dwylo.
- defnyddio hylif llaw alcohol – mae'r hylif yn lladd bron pob germ mewn hanner funud.

Maen sychu'n naturiol ar y croen ac yn gyfleus os nad oes tap yn agos. Dydy heintiau ddim yn cael eu achosi gan faw. Germau neu firysau sy'n byw yn naturiol o'n cwmpas sy'n achosi haint. Maen nhw hefyd yn byw ar y croen ac yn y geg a'r trwyn. Mae'r rhan fwyaf ddim yn achosi unrhyw niwed i ni ond os ydyn ni'n sâl, mae amddiffinfeydd naturiol y corff yn wanach. Dyna pam mae hylendid yn arbennig o bwysig ym mhob ysbyty.

Tasg 69

Mae un gwall ym mhob brawddeg. Cywirwch y gwallau.

1. Bydda i'n ymuno mewn efo nhw yn y gweithgareddau.
2. Dechreuais i dysgu fe bythefnos yn ôl.
3. Fel byddet ti'n disgrifio arddull yr arlunydd?
4. Cafodd y dyn hen lawer o wobrau am ei waith dyngarol.
5. Rydym am gael strydoedd mwy ddiogel yn y dref yma.
6. Peidiwch âg yfed a gyrru.
7. Mae pasta ar gael am cyn lleied a ugain ceiniog mewn uwchfarchnadoedd.
8. Byddwn yn talu am glwydi newydd i fynediad y ganolfan hamdden.
9. Ewch ar arian i'r banc os gwelwch chi'n dda.
10. Does dim hufen iâ neu siocled yn y siop heddiw.

Tasg 70

Yn y darn yma, mae Mari yn sôn am ei phrofiad gwaith. Newidiwch
y darn i'r trydydd person unigol.
Dechreuwch fel hyn: *'Pan oedd hi'n un ar bymtheg oed ...'*
Pan oeddwn i'n un ar bymtheg oed, roeddwn i eisiau bod yn feddyg.
Roedd rhaid i fi wneud profiad gwaith, felly cysylltais i ag Ysbyty'r Fro.
Roedd y staff yno'n wych. Ces i wythnos o arsylwi i ddechrau a gwelais i
lawer iawn o wahanol glinigau.
Y peth mwyaf cyffrous yn ystod yr wythnos oedd cael gwylio
llawdriniaeth yn y theatr. Yn ystod fy mhrofiad gwaith roedd cyfle hefyd i
helpu'r nyrsys i wneud y gwelyau a chymryd a chofnodi pwysedd gwaed,
tymheredd a phyls y cleifion. Wrth gwrs, roedd rhywun yn fy ngwylio
drwy'r amser.
Rydw i'n ddiolchgar iawn am y profiad gwaith. Byddaf yn gweithio'n galed
iawn yn yr ysgol nawr er mwyn cyflawni fy uchelgais.

Tasg 71

Iechyd llygaid
Ffordd dda o edrych ar ôl eich golwg iw neulltuo amser ar gyfer archwiliad
llygaid yn reolaidd. Mae profion rheolaidd yn medru dod o hyd i
broblemmau a datgelu ambell glefyd fel clefyd y siwgr a pwysedd gwaed
uchel. Mae tîm o optegwyr proffesiynnol gen ni i'ch helpu ac i sicrhau eich
bod yn gweld cystal ag sy'n bosibl. Hefyd, mae nhw'n monitro unrhyw
newidiadau i'ch golygon o flwyddyn i blwyddyn.

Tasg 72

I gofrestri fel cwsmer gwasanaeth frys, rhowch eich manylion mewn llythrenau fras ar y cerdyn hon. Yna, plygwch y cerdyn a'u selio cyn ei anfon yn ôl i ni.

Ffoniwch 0854 689 3875 os byddai'n well gennych gofrestru dros y ffon neu os oes gennych unrhyw gwestiynnau.

Tasg 73

Dyma ran o stori Carl. Mae e'n ysgrifennu yn y person cyntaf. Newidiwch y darn i'r trydydd person unigol. Dechreuwch fel hyn:
'Pam gwnaeth e fe?'

Pam gwnes i fe? Dw i'n gofyn y cwestiwn drwy'r amser. Roedd mor hawdd cael fy nhemtio. Pam na wrandawais i ar fy rhieni? Ddwy flynedd yn ôl roedd bywyd yn dda i mi ond yna gwelais i Jenny. Roedd hi'n dlws ac yn ddoniol a doedd dim byd yn well gen i na threulio amser yn ei chwmni. Dechreuais i brynu anrhegion drud iddi achos roeddwn i dros fy mhen a'm clustiau mewn cariad.

Tasg 74

Dewiswch y gair cywir o'r dewisiadau a roddir.

Ein nod yw sicrhau <u>bod/fod</u> pob person ifanc <u>yn Gymru/yng Nghymru</u> yn cael addysg ar <u>gadael/adael</u> y cartref am y tro cyntaf <u>drwy/wrth</u> ddarparu cyngor ar y we. Rydym hefyd am ddarparu gwybodaeth am <u>ddigartrefi/ddigartrefedd</u> i ysgolion, colegau <u>a/ac</u> sefydliadau eraill sy'n gweithio gyda <u>pobl/phobl</u> ifanc. Mae pobl ifanc yn gallu cael <u>mynedfa/mynediad</u> i help <u>gyda/gydag</u> thrin arian a sawl <u>fater/mater</u> arall drwy ymweld â'r wefan.

Tasg 75

Rhowch eiriau yn lle'r ffigurau yn y llythyr.

Ysgol y Cwm
Mai yr 20fed

Annwyl Riant

Bydd taith gerdded noddedig i ddysgwyr Blwyddyn 9 yn gadael yr ysgol am 9.45 y bore ar ddydd Llun y 6ed o Fehefin. Mae'r daith yn 9½ milltir. Bydd cyfle i orffwys yn neuadd y parc am 12.30 a bydd brechdanau a diod ar gael i bawb. Bydd pawb yn ôl yn yr ysgol erbyn 3.30 er mwyn dal y bysys am 3.45. Bydd yr arian eleni yn mynd i gronfa'r bws mini. Mae angen casglu £7,000 eto cyn diwedd y flwyddyn.

Os ydych chi'n hapus i'ch plentyn fynd ar y daith, llenwch y ffurflen isod erbyn Mai y 30ain os gwelwch yn dda.

Yn gywir

A Jones

Pennaeth Blwyddyn

Tasg 76

Rhowch y geiriau isod yn lle'r rhai sydd wedi eu tanlinellu.
Bydd rhai ymadroddion dros ben.

Byddan nhw	gennym ni	Chafodd hi ddim	Chawson ni ddim	amdanon ni
Byddwn ni	iddyn nhw	Dydyn ni ddim	ganddyn nhw	Chawson nhw ddim
roedden nhw	amdanyn nhw	Ddaeth hi ddim	Ddaethon nhw ddim	ganddi hi

Bydd Gwen a fi yn mynd i'r Eisteddfod wythnos nesaf. Dei a Jac yw
enwau'r plant. Bydd y plant yn dod gyda ni ond Mam-gu fydd yn gofalu
am y plant eleni. Bydd rhaid i Mam-gu a'r plant fod ar y maes erbyn
hanner dydd ond mae'n well gan Gwen a fi fynd i'r digwyddiadau nos.
Ddaeth Mam-gu ddim i'r Steddfod llynedd ac roedd yr wythnos yn
drychinebus. Chafodd Gwen a fi ddim cyfle i fwynhau achos roedd rhaid
difyrru'r plant. Wrth gwrs, roedd Dei a Jac wrth eu bodd yn mynd o
stondin i stondin ond doedd dim diddordeb gan y plant mewn eistedd yn
llonydd i wylio'r cystadlu. Dydy Gwen a fi ddim eisiau profiad tebyg eto.

Tasg 77

Mae rhai geiriau wedi eu tanlinellu. Dilëwch y geiriau anghywir.

Pêl-droed cors

Dechraeodd/Dechreuodd athletwyr a milwyr chwarae'r gêm/gem yn y Ffindir achos roedd yn help i gadw'n heini. Roedd y gystadleuaeth/gystadlaeaeth gyntaf yn y flwyddyn 1998 pan/pryd oedd 13 o dimau yn cystadlu. Rydych/Dydych chi ddim yn chwarae ar gae/gau ond mewn cors chwe/chwech deg metr o hyd a thri deg metr o led. Mae deuddeg chwaraewr mewn carafán/carfan ond dim ond ei/eu hanner fydd yn chwarae ar yr un pryd. Mae timau dynion yn unig, merched yn unig a timau/thimau cymysg.

Tasg 78

Trowch y darn yma i'r gwrywaidd. Dechreuwch fel hyn:
'Roedd e wedi blino'n lân ...'

Roedd hi wedi blino'n lân ac roedd ganddi ben tost ar ôl diwrnod hir yn y gwaith ond llwyddodd i gyrraedd ei chartref cyn i'w thad gyrraedd adref. Roedd hyn yn golygu bod digon o amser i baratoi pryd o fwyd i'r ddau ohonynt cyn y byddai'n rhaid iddi adael am ei champfa. Wedi iddynt fwyta aeth allan yn ei char bach coch ac ar y ffordd galwodd am ei brawd. Roedd wedi bwriadu mynd hebddo heno ond roedd neges ar ei pheiriant ateb yn gofyn am ffafr. Doedd dim awydd arni wrando ar ei gwynion a dweud y gwir. Roedd brys arni ond ni fedrai ddweud hynny wrtho.

Tasg 79

Rhowch y geiriau at ei gilydd gan wneud unrhyw newidiadau angenrheidiol i wneud ymadroddion cywir.

Er enghraifft, ar + ni = arnom ni

1. am + hi =
2. fy + cyfrifiadur =
3. ein + ystafell wely =
4. i + hi =
5. merch + tal =
6. bydd + chi =
7. dy + bod =
8. ar + ti =
9. clywed + i + ddoe =
10. athrawes + caredig =

Tasg 80

Cywirwch y brawddegau hyn. Mae un gwall ym mhob brawddeg.

1. Ble mae'r dyn a prynodd y beic modur drud?
2. Gofynnodd i mi os fyddwn i'n gwarchod y plant heno.
3. Bydd rhaid i mi fynd ar plentyn at y meddyg achos mae gwres uchel arno.
4. Does dim dysgwyr Blwyddyn 9 neu Blwyddyn 10 yn yr ysgol heddiw.
5. Dim ond llysiau â gaiff eu tyfu yn y rhandir.
6. Bydd hi'n mynd i Gaer i siopa a felly bydd yn rhaid iddi godi'n gynnar.
7. Ni cyrhaeddodd mewn pryd achos collodd hi'r bws.
8. Cyflwynir y pennaeth anrhegion i'r athrawon a oedd yn gadael.
9. Prynodd fi ymbarél newydd i fynd i'r sioe.
10. Mae pawb yn y swyddfa yn gwisgo bathodynau.

Tasg 81

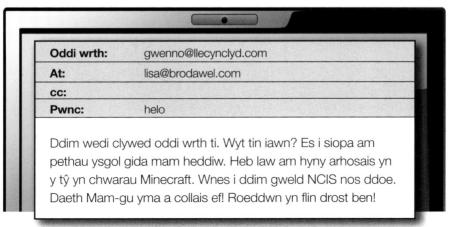

Oddi wrth:	gwenno@llecynclyd.com
At:	lisa@brodawel.com
cc:	
Pwnc:	helo

Ddim wedi clywed oddi wrth ti. Wyt tin iawn? Es i siopa am pethau ysgol gida mam heddiw. Heb law am hyny arhosais yn y tŷ yn chwarau Minecraft. Wnes i ddim gweld NCIS nos ddoe. Daeth Mam-gu yma a collais ef! Roeddwn yn flin drost ben!

Tasg 82

Mam:	Mae hwyliau drwg iawn ar ti! Pam?
Bethan:	Dydy bowyd ddim yn deg. Mae i gyd o fy ffrindiau yn mynd dros y môr ar ei gwilau!
Mam:	Rwyt ti'n mynd dros y môr hefyd – i Lydaw.
Bethan:	Ond maen nhw'n fflio. Rydyn ni'n mynd mewn carafán!
Mam:	Meddylia faint mor braf fydd hi yn y meysydd gwersylla.
Bethan:	Hy! Mi fyddai'n llawer mwy gwell gen i fynd i riwle fel un o ynysoedd Spaen.

Tasg 83

GŴYL HÂF TREGWYNT

Mehefin15 – 22

Wythnos o digwyddiadau i ddant pawb o bob oed!
Bydd y chwareuon yn cymeryd lle ar y meysydd chwarae ar lan afon hirwen ond bydd y gweithgareddau yn y canolfan os y bydd hi'n wlyb.

PINACL Y WYTHNOS:
Y CARNIFAL MAWREDDOG!
Y PARÊD YN CYCHWYN AM HANNER DYDD.

Am manylion llawn ewch i: **gwylhaf@btconnect.com**

Tasg 84

Cerddi

Mae'r ddau gerdd amdan natur ond maen nw'n hollol wahanol. Yn 'Ar lan y môr' mae Tomos William yn dweud bod mae pobl yn difetha y traeth gyda sbwriel ac mae e'n teimlo'n drist. Mae Sioned Hywel ddim yn trist yn y gerdd 'Cael Hwyl'. Mae hi'n cofio mynd i glan y môr pam oedd hi'n blentyn a chael hwyl yn physgota gyda rhwyd.

Tasg 85

Ffeithiau am Gwsg

- Mae pobl yn gwario tua traean o'r diwrnod yn cysgu.
- Pan fyddem yn cysgu rydym yn breuddwidio.
- Yn ôl yr arbennigwyr mae cysylltiad gyda diffyg cwsg a gordewdra.
- Yn y geuaf pan does dim llawer o fwyd ar gael mae rhai anifeiliaid yn cysgu am wythnosau.
- Yn yr Unol Daleuthiau mae diffyg cwsg yn amharu ar waith tri chwarter myfyrwyr.

Tasg 86

Sut i Glymu Tei!

1. Ar y dechrau dylsai'r pen llydan fod ar eich ochr dde a'r pen cul ar y chwith.
2. Croiswch y pen llydan dros y llall.
3. Dewch ar pen llydan o danodd y pen cul o'r chwith i'r dde a yna drosodd o'r de i'r chwith.
4. Rho ef o dan y cwlwm yn y canol.
5. Tynnwch ef i lawr gyda'r cylch y tu blaun.
7. Defnyddiwch un law i dynnu'r pen cul i lawr a'r law arall i symyd y cwlwm i fyny nes iddo gyrraedd canol y goler.

Tasg 87

Sut i newid olwyn car

1. Rhowch yr injian i ffwrdd.
2. Gosodwch yr olwyn sbâr ar y llawr wrth ymyl chi i fod yn gyfleus.
3. Datgysylltwch trim yr olwyn.
4. Byddwch ofalus wrth osod y jac yn ei le.
5. Codwch y car nes bod yr olwyn ychydig uchelach na'r llawr.
6. Llaciwch foltiau'r olwyn a thynnwch yr olwyn yn rhudd.
7. Rhowch yr olwyn sbâr yn ei le.
8. Gosodwch y bolt uchaf yn cyntaf ac yna'r lleill gyda llaw.
9. Peidiwch â rhoi olew ar nhw neu byddant yn mynd yn llac.
10. Yn araf bach dowch â'r car i lawr nes i'r olwyn gyffwrdd â'r llawr a tynhewch y boltiau.

Tasg 88

FFRAINC

Prifdinas: Paris

Poblogaidd: 64.7 miliwn

Iaith: Frangeg

Diwrnod Cenedleuthol: Gorffennaf 14. Diwrnod coffáu'r ymosod ar y Bastille (1789)

Bwyd: Mae'r Ffrancwyr wrth ei bodd gyda chaws a nhw ddyfeisiodd y *baguette*.

Pobl enwog: Thierry Henry (peldroediwr), Juliet Binoche (actores).

Adeiladau enwog:

Tŵr Eiffel: Wedi ei enwi ar ôl ei bensaer sef Gustave Eiffel. Cafwyd ei adeiladu yn 1889.

Notre Dame: Dechreuwyd adeiladu'r eglwys hwn ar lan afon Seine yn 1163.

Tasg: Am peth mae Jean Monet yn enwog?

Tasg 89

Arian yn Broblem!

1.   Yn eich cadw-mi-gei mae gan chi un darn arian papur £50, dau darn arian papur £20, pedair darn 50c a tri darn 2c. Faint arian sydd gennych chi i gyd gyda'u gilydd?

2.   Mae arnoch chi eisiau £60 i brynu chwaraewr CD. Mae gennych bump ar hugain punt yn barod ac rydych yn cael pum pynt o arian poced yr wythnos. Sawl wythnosau fydd hi'n ei gymryd i chi gael digon o arian i'w brynu?

Tasg 90

Jack the Ripper

Roedd Jac yn lofrudd enwog yn Oes Victoria. Does neb yn gwaebod pwy oedd e na faint o pobl wnaeth e ei lladd. Efallai fod e wedi lladd tri merch neu efallai i fyny ato ddeg. Cafwyd e erioed ei ddal.

Tasg 91

Dr Who

Mae Dr Who wedi parhau am mwy o amser na'r un raglen ffugwyddonol (*science fiction*) arall yn y byd. Dechraeodd yn 1963. Arglwydd Amser ydy Dr Who ac maen teithio trwy amser a'r gofod mewn peiriant or enw Tardis. Ei gelynion ydy'r Dalecs. Mae un ar ddeg actorion wedi chwarae rhan Dr Who a'r gyntaf o nhw oedd William Hartnell. Ron Grainer gyfansoddwyd y gerddoriaeth wreiddiol.

Tasg 92

Y Naid Awyr gyntaf

Cwestiwn:	Beth sy'n ddigwydd cyntaf?
Ateb:	Ceir y cit ei wirio.
Cwestiwn:	Ydw i'n eistedd yn yr awyren?
Ateb:	Ydy, wrth y drws, yna rwyt ti'n neidio!
Cwestiwn:	Pryd fi'n gwneud y cyfri diogelwch?
Ateb:	Ar ôl i ti wedi sefydlogi.Wedyn rwyt ti'n agor y parasiwt trwy tynnu'r handlen y cortyn. Tynna'r 2 dogl i fynd yn fwy araf a wyneba y gwynt. Glania gyda eich bengliniau wedi eu plygu.

Tasg 93

Masnach Deg

Oeddych chi'n gwaebod?

- Mae 7.5 miliwn pobl ar draws y byd yn gael mantais o arferion masnach deg.
- Mae naw deg y gant o'r bananas o'r Ynysoedd y Gwynt yn cael ei masnachu'n deg.
- Cynyddwyd Masnach Deg werthiant eu cynyrch yn y DU o £16.7 miliwn yn 1998 i bron £800 miliwn ym 2009.

Tasg 94

Tsunami 2004

Rhagfyr 26fed 2004, ysgydwyd daeargryn anferth Cefnfor yr India. Gwnaeth rwyg o dros chwe chant milltir o hir yn gwely'r môr a cafodd miloedd ar filoedd o dunelli o greigiau ei symud gannoedd o filltiroedd. Achosodd hyn tsunami a laddodd dros 230,000 o bobl. Cafodd miloedd eraill eu anafu a'u gwneud yn ddigartref.

Tasg 95

Gwaith yn yr Awyr Agored

Mae Partneriaeth Awyr Agored Gogledd Gorllewin Cymru yn hyrwyddo gwaith a hyfforddiant i pobl lleol yn y sector awyr agored. Mae'r bartneriaeth yn cynig rhaglenni preswyl yn Plas Menai, y Ganolfan Chwaraeon Dŵr cenedlaethol a'r Ganolfan Fynydda Cenedlaethol. Bydd tri ar bymtheg o bobl yn ran o'r cynllun.

Am rhagor o wybodaeth gwelir: www. partneriaeth-awyr-agored.co.uk

Tasg 96

Milltiroedd

Gofynnodd yr athro wrth y dosbarth, 'Os mae 1 milltir yn 1.6903 km faint cilometr ydy pedwar milltir ar ddeg?' Atebodd Iwan fel bollt, '19.312 km' ac dywedodd, 'Atebwch chi hyn, syr. Os buasech chi'n teithio dau ugain milltir yr awr faint o hir fyddai hi'n cymryd i chi deithio 128,44864 cilometr?'

Tasg 97

Mam:	Ble ar y ddaear wyt ti wedi bod?
Morgan:	Roedd dim CD ar cael mewn y siop leol felly es i yr holl ffordd i'r dref. Roedd rhy gormod o ddewis yno ac roeddaf yn cael trafferth i benderfynnu pwy un i'w brynu. Penderfynodd fi prynu chwech ac yna doeddwn i ddim gyda arian i dalu am y bws ac roedd yn rhaid i fi gerdded adref.

Tasg 98

Pa fydiad sydd wedi gwneud y fwyaf dros yr iaeth Gymraeg? Gellid ddadlau mae'r Urdd iw oherwydd bod miloedd o blant wedi gwario gwiliau trwy'r Gymraeg yng ngwersylloedd Glan-llyn a Llangrannog. Dywedir rhai mai Mudiad y Ffermwyr Ifanc ydyw am bod mae'n rhoi cyfle i fwy o bobl ifanc.

Tasg 99

Gofalwn am ein Traethau

Mae'r sbwriel ar ein traethau wedi dyblu yn y pymtheg mlynedd ddiwethaf.

Ymunwch a ni i glirio sbwriel yn Penwythnos Glanhau'r Traeth, awst 7-9, 2014.

Mae yn disgwyl i filoedd o wirfoddolwyr ddod at eu gilydd i glirio sbwriel o rai o draethau Cymru.

Os yr ewch i **www.penglantr.co.uk** ceir restr o'r traethau a gwybodaeth o'r trefniadau.

Tasg 100

Athro: Beth wyt ti'n ei wneud heno?

Ieuan: Heno mae fi'n cyfarfod â'm frindiau ar y sgwâr. Rydyn ni'n fynd i weld y gêm bêl-droed rhwng Clwb y Cwm a Adran y Felin. Fydd hi'n gêm allweddol oherwydd dyma'r dau dîm sydd ar brig y gyngrair a bydd un yn cael dyrchafiad. Fi ddim yn dweud pa un ydw i'n ei gefnogi, rhac ofn!

Athro: Dim gwaith cartref felly!

Chwilio'r gwallau 1
Atebion

Rhifolion 1
1. Mae gen i ddwy chwaer ac un **brawd**.
2. Mae gen i ddau grwban ac un **gath**.
3. Rwyf wedi darllen un **bennod** o'r nofel newydd.
4. Dim ond un **pennill** sydd gen i i'w ddysgu.
5. Oes un **wers** arall gennym cyn cinio?
6. Mae ganddyn nhw un **ferch** a dau fab.
7. Rhedais i am ddwy filltir ond dim ond am un **filltir** rhedodd e.
8. Rwy'n mynd i brynu un **bwrdd** a dwy gadair newydd.
9. Roedd gan y sipsiwn ddau geffyl ac un **garafán**.
10. Ga i un **cyfle** arall os gwelwch chi'n dda?

Rhifolion 2
1. Mae'n rhaid i ni ddarllen **dwy** nofel cyn y Nadolig.
2. Gwelon ni'r **ddau** gi'n neidio i mewn i'r car.
3. Cafodd y **ddau** chwaraewr eu hanfon o'r cae am ymladd.
4. Roedd **dwy** wers gyda ni cyn cinio.
5. Bydd y **ddau** hen ddyn yn teithio i'r dref ar y trên.
6. Bydd **dau** gyfrifiadur newydd yn y dosbarth erbyn fory.
7. Oeddet ti wedi gweld y **ddwy** fwydlen?
8. Roedd **dau** dad-cu a **dwy** nain ganddi.
9. Oedd **dwy** raglen Gymraeg ar y teledu neithiwr?

Rhifolion 3
1. Oes rhaid i ti astudio **tair** cerdd wythnos nesaf?
2. Doedd dim rhaid i ni ddysgu'r **tri phennill**.
3. Gwelon ni'r **tri chi'n** neidio i mewn i'r car.
4. Rydym wedi cael **tri** bwrdd gwyn newydd i'r ysgol.
5. Clywais eu bod nhw wedi adeiladu **tri thŷ** newydd.
6. Roedd y **tair** chwaer a'r **tri** brawd yno.
7. Roedd **tair** eglwys yn y dref ac roedd **tri** chapel yno hefyd.
8. Mae'r ysgol yn mynd i gael **tair** telyn newydd.

Rhifolion 4
1. Byddaf i'n darllen **pedair** cerdd gan Iwan Llwyd heno.
2. Roedd **pedwar** athro newydd yn yr ysgol achos gadawodd **pedair** athrawes.
3. Bydd rhaid i fi weithio am **bedair** awr heno achos mae llawer o waith gen i.
4. Ga i fenthyg **pedair** punt gennyt ti os gweli di'n dda?

5. Oes **pedwar** teledu yn eu tŷ nhw?
6. Mae **pedwar** car yn ein tŷ ni ac mae **pedair** carafán yno hefyd.
7. Mae hi wedi darllen **pedwar** llyfr yr wythnos hon.
8. Roedd gan yr hen wraig **bedair** cannwyll ar y silff ben tân.

Rhifolion 5

1. Oes **pum** ystafell wely yn y tŷ newydd?
2. Roedd **chwe cheffyl** yn y cae gyferbyn â'r coleg.
3. Bydd **pum** disgybl newydd yn dod i'r dosbarth ar ôl y gwyliau.
4. Ga i fenthyg **chwe cheiniog** gennyt ti?
5. Mae ganddi hi **chwe thraethawd** arall i'w hysgrifennu eleni.
6. Mae angen dis a **chwe chownter** arnon ni i chwarae'r gêm.
7. Byddaf i'n gweld **pump** o raglenni ar y teledu heno.
8. Mae'r bws yn gadael am **bump** o'r gloch y bore.
9. Mae hi wedi gweithio yno am **bum mlynedd**.
10. Enillodd o'r ras **chwe** milltir yn hawdd iawn.

Rhifolion 6

1. Bydd pump o **fyfyrwyr** newydd yn ein dosbarth ni ar ôl y gwyliau.
2. Mae'n rhaid i ni ddarllen deg o **lyfrau** cyn diwedd y tymor.
3. Roedd tri o **blant** ganddyn nhw.
4. Oes chwech o **geffylau** yn y cae yma?
5. Bydd hi'n prynu pedair o **beli** newydd cyn y gystadleuaeth.
6. Oedd dwy o'r **merched** yn hwyr y bore 'ma?
7. Dim ond tri o'r **chwaraewyr** sydd wedi chwarae dros Gymru.
8. Mae tair o **ferched** a dau o **fechgyn** yn y grŵp newydd.
9. Mae chwech o **gyrtiau tennis** yn y Ganolfan Hamdden.

Rhifolion 7

1. Rwy wedi gweld **dwy** ffilm yn y sinema newydd.
2. Roedd y **tair** drama'n debyg iawn i'w gilydd.
3. Ydy'r **pum** carcharor wedi dianc o'r carchar?
4. Gwariais i ugain punt ar **bedair** anrheg Nadolig.
5. Roedd **chwe** dyn yn ceisio dianc rhag yr heddlu.
6. Oes tri o **fechgyn** wedi eu hanfon at y pennaeth?
7. Fydd y **ddau** ddyn yn cael triniaeth am gyffuriau?
8. Bydd pedwar **cystadleuydd** yn rhedeg yn y ras.
9. Mae o leiaf un **ddiod** ar ôl yn yr oergell.
10. Mae hi wedi ennill **pedair** cystadleuaeth yn ystod y flwyddyn.

Rhifolion 8

1. un dyn
2. dau deledu
3. un gadair
4. dwy gath
5. pedwar brawd
6. tri chwpwrdd
7. tair merch
8. pedair dynes
9. chwe cheffyl
10. pum gwers

Dyddiadau, Amser ac ati 1

1. Mae'r arholiad ar yr **wythfed ar hugain** o Fai.
2. Cynhelir y clyweliadau ar y **deunawfed** o Chwefror.
3. Bydd y ffair hydref yn cael ei chynnal ar yr **unfed ar ddeg ar hugain** o Hydref.
4. Clywais fod gweithdy celf yma ar yr **ail** o Fehefin.
5. Bydd fy mhen-blwydd i ar y **pedwerydd ar bymtheg** o Orffennaf.
6. Wyt ti'n gwybod fy mod i'n mynd ar fy ngwyliau ar y **pedwerydd** o Awst?
7. Cofiwch alw heibio ar y **pumed** o Ionawr.
8. Fydd dydd Gwener y **trydydd ar ddeg** o Dachwedd yn anlwcus i fi eleni?
9. Bydd rhaglen deyrnged iddi ar y teledu ar y **cyntaf** o Fawrth.
10. Suddodd y Titanic ar y **pymthegfed** o Ebrill 1912.

Dyddiadau, Amser ac ati 2

1. Mae'r arholiad ar **Fai yr wythfed ar hugain**.
2. Cynhelir y clyweliadau ar **Chwefror y deunawfed**.
3. Bydd y ffair hydref yn cael ei chynnal ar **Hydref yr unfed ar ddeg ar hugain**.
4. Clywais fod gweithdy celf yma ar **Fehefin yr ail**.
5. Bydd fy mhen-blwydd i ar **Orffennaf y pedwerydd ar bymtheg**.
6. Wyt ti'n gwybod fy mod i'n mynd ar fy ngwyliau ar **Awst y pedwerydd**?
7. Cofiwch alw heibio ar **Ionawr y pumed**.
8. Fydd dydd Gwener **Tachwedd y trydydd ar ddeg** yn anlwcus i fi eleni?
9. Bydd rhaglen deyrnged iddi ar y teledu ar **Fawrth y cyntaf**.
10. Suddodd y Titanic ar **Ebrill y pymthegfed 1912**.

Dyddiadau, Amser ac ati 3

1. erbyn hanner awr wedi dau
2. cyn deng munud wedi tri/cyn deg munud wedi tri
3. am bedwar o'r gloch
4. tua chwarter i ddeuddeg/tua chwarter i hanner dydd
5. tua phump o'r gloch
6. erbyn pum munud ar hugain i ddau
7. am ugain munud i ddeg
8. erbyn pum munud ar hugain wedi un ar ddeg
9. cyn ugain munud wedi chwech
10. am bum munud i ddeg

Dyddiadau, Amser ac ati 4

1. o leiaf **punt/un bunt**
2. dim mwy na **thair punt (a) saith deg ceiniog/thair punt (a) saith deg o geiniogau**
3. llai na **phunt dau ddeg/phunt ac ugain ceiniog/phunt ac ugain o geiniogau**
4. mwy na **phedair punt (a) dau ddeg pum ceiniog/phedair punt a dau ddeg pump o geiniogau**
5. tua **thair punt wyth deg ceiniog/thair punt ac wyth deg ceiniog/thair punt ac wyth deg o geiniogau**
6. tua **dwy bunt a hanner can ceiniog/dwy bunt hanner can ceiniog/dwy bunt pum deg ceiniog/dwy bunt a phum deg ceiniog/dwy bunt a phum deg o geiniogau**
7. o leiaf **tair punt pum deg ceiniog/tair punt a phum deg ceiniog/tair punt a hanner can ceiniog/tair punt hanner can ceiniog**
8. am **ddwy bunt wyth deg ceiniog/ddwy bunt ac wyth deg ceiniog/ddwy bunt ac wyth deg o geiniogau**
9. mwy na **phum punt pedwar deg/phum punt a phedwar deg ceiniog/phum punt a phedwar deg o geiniogau**
10. am **saith bunt chwe deg/saith bunt a chwe deg o geiniogau/saith bunt chwe deg ceiniog**

Dyddiadau, Amser ac ati 5

1. dau ddeg pump y cant/pump ar hugain y cant
2. pum deg tri y cant
3. un deg saith y cant/dau ar bymtheg y cant
4. deuddeg y cant/un deg dau y cant
5. ugain y cant/dau ddeg y cant

6. un deg tri y cant/tri ar ddeg y cant
7. saith deg pump y cant
8. chwe deg saith y cant
9. pum deg pedwar y cant
10. naw deg naw y cant

Dyddiadau, Amser ac ati 6
1. traean/un rhan o dair
2. hanner
3. dau draean/dwy ran o dair
4. chwarter
5. tri chwarter
6. dau a hanner
7. saith rhan o wyth
8. pump a chwarter
9. chwech a thri chwarter
10. un rhan o ddeg

Dyddiadau, Amser ac ati 7
1. tua tri phwys
2. o leiaf pedwar cilogram
3. chwe deg naw metr
4. cant a deg cilometr
5. pum deg/hanner can centimedr
6. dros ugain/ddau ddeg gram
7. llai na chwe chilogram
8. mwy na hanner metr
9. cymaint â mil gram
10. dwy filltir

Dyddiadau, Amser ac ati 8
Cafodd yr efeilliaid eu geni yn yr ysbyty a oedd **ugain/dau ddeg** milltir o'u cartref. Daethant i'r byd ar yr **wythfed ar hugain** o Orffennaf am **hanner awr wedi chwech** y bore. Y ferch gafodd ei geni yn gyntaf. Roedd hi'n pwyso **pum** pwys **dwy** owns. Yna, daeth y bachgen a oedd yn pwyso **pedwar** pwys **deg** owns. Bydd y **ddau** ohonynt yn aros yn yr ysbyty gyda'u mam am **bum niwrnod** arall. Yna, bydd y teulu bach o **bedwar** yn mynd adref.

Sillafu 1
1. **Echdoe** oedd diwrnod pen-blwydd fy mrawd.
2. Doedd Wil ddim yn **haeddu** ennill.
3. Safai'r **merched** mewn rhes y tu allan i'r siop.
4. Chlywodd neb mohono'n **gweiddi.**
5. Mae pobl ifanc, **hyd yn oed**, yn hoffi cinio dydd Sul.
6. Doedd dim posibl **deall** ei lawysgrifen.
7. Roedd y gath yn **cuddio** yn ofnus y tu ôl i'r cwpwrdd.
8. **Dechreuodd** y gig am hanner awr wedi saith o'r gloch.
9. Pan oedd Abdul yn **chwarae** criced torrodd ei goes.
10. Yn anffodus, dydy Marged ddim yn **poeni** am ei gwaith.

Sillafu 2
1. Aw**d**ur
2. Mel**y**s
3. I fyn**y**
4. Hap**u**s
5. **C**ur pen
6. Cysg**u**
7. Derb**y**n
8. Gwneu**d**
9. Penderfyn**u**
10. Sym**u**d

Sillafu 3
1. Dis**g**yn
2. Gwen**u**
3. Llin**y**n
4. Myneg**i**
5. Tip**y**n
6. Ysbyt**y**
7. Dwe**u**d
8. Diff**y**g
9. Rhestr**i** (*lists*)
10. Te**u**lu

Sillafu 4

	Cywir	Y gair gwreiddiol
canhwyllau	canhwyllau	cannwyll
ffynnonau	ffynhonnau	ffynnon
cyrrhaeddodd	cyrhaeddodd	cyrraedd
anhebyg	annhebyg	tebyg
cynhaliwyd	cynhaliwyd	cynnal
annerbyniol	annerbyniol	derbyn
synnhwyrol	synhwyrol	synnwyr
annhrugarog	anhrugarog	trugarog
cynnwysion	cynhwysion	cynnwys
cynhesu	cynhesu	cynnes
tynhau	tynhau	tyn

Sillafu 5

	CYWIR
Aberfan	Aber-fan
Talybont	Tal-y-bont
Pibwrlwyd	Pibwr-lwyd
Rhosgoch	Rhos-goch
Penygroes	Pen-y-groes
Nantycaws	Nant-y-caws
Cwmgors	Cwm-gors
Rhesycae	Rhes-y-cae
Pantglas	Pant-glas
Bwlchyffridd	Bwlch-y-ffridd

Sillafu 6

1. Pentrefoelas
2. Eglwysnewydd
3. Cwmyreglwys
4. Llwynypia
5. Penymynydd
6. Tredegar
7. Llanbadarn
8. Pentrefelin
9. Trawsgoed
10. Trawsfynydd

Sillafu 7

1. Nid yw Josie yn **bwyta** digon o lysiau.
2. Dylai pawb gael pum **ffrwyth** y dydd.
3. Buom yn **gwylio** rasys ceffylau yng Nghaer.
4. Ras wy ar **lwy** oedd fy ffefryn i ers talwm.
5. Welodd Wil mo'r llyfr er ei fod o dan ei **drwyn**.
6. Maen nhw'n dweud bod y lliw **gwyrdd** yn anlwcus.
7. Aethom ar ein **gwyliau** i Ffrainc llynedd.
8. Collodd hi ei **gwynt** wrth redeg.
9. Doeddwn i ddim yn **gwybod** yr ateb i'r cwestiwn.
10. Cawsom **hwyl** yn Alton Towers!

Sillafu 8

CYWIR	ANGHYWIR	WEDI CYWIRO
annwyd	dyfynniad	dyfyniad
gorffennwyd	gwynnion	gwynion
gwynnach	torrwyr	torwyr
cacennau	cynllunnwyr	cynllunwyr
calonnau	gorchmynnion	gorchmynion

Sillafu 9

Yfory, dydd **Llun, Gorffennaf** 6ed, **bydd** criw o **ferched** o Glwb Golff Bangor yn cerdded o **Dal-y-bont** i Wrecsam, taith o **tua** chwe deg milltir. Maent yn gobeithio **gwneud** y daith mewn dau ddiwrnod. Byddant yn codi arian at **Ysbyty** Gwynedd a Hosbis yn y Cartref. Os ydych yn dymuno **cyfrannu** anfonwch siec neu arian i **Swyddfa**'r Clwb Golff, Stryd y Fenai, Bangor, Gwynedd.

Treigladau 1

tal	**rhy dal**
llawn	**rhy lawn**
gwyntog	**rhy wyntog**
rhwydd	**rhy rwydd**
budr	**rhy fudr**
lliwgar	**rhy liwgar**
tew	**rhy dew**
cwynfanllyd	**rhy gwynfanllyd**
prysur	**rhy brysur**
drwg	**rhy ddrwg**
mawr	**rhy fawr**

Treigladau 2

Aeth e i'w **waith** erbyn naw o'r **gloch** y bore ac ar unwaith aeth i **ddarllen** y negeseuon oedd wedi cyrraedd dros nos. Ymatebodd i **ddwy** neges **frys** ar unwaith gan ei **fod** yn credu bod ymateb yn **brydlon** yn **gwrtais** ac yn **dda** i'r busnes. Yna, aeth i'r cyfarfod tîm am **ddeg** o'r gloch.

Treigladau 3

1. Bydd hi'n mynd i'r gynhadledd yn **Nolgellau**.
2. Brifais fy **nghefn** yn chwarae rygbi.
3. Pum **niwrnod** yn ôl, roeddwn yn yr ysbyty.
4. Roedd y sioe **yng Nghaerdydd**.
5. Ble mae fy **niod** i?
6. Bydd fy merch fach yn wyth **mlwydd** oed wythnos nesaf.
7. Mae'n rhaid i mi dorri fy **ngwallt** fory.
8. Mae fy **nghyfrifiadur** yn hen iawn.
9. Mae hi'n byw **yng Nghaeredin** rŵan.
10. Collais fy **mhres** i gyd ar y ceffylau.

Treigladau 4

Mae fy **nghartref** newydd yng **Nghaerdydd**. Symudais yno ddau fis yn ôl efo fy **mhartner**, Jo. Cyn hynny, roeddwn i wedi byw ym **Mangor** am bum **mlynedd**. Daeth fy **nheulu** i'n gweld bythefnos yn ôl ac mi arhoson nhw am ddwy noson. Yn anffodus, doedd fy **mrawd** i ddim efo nhw achos roedd o'n sefyll arholiadau pwysig yng **Ngholeg** y Waun. Roedd yr arholiadau yn para am bum **niwrnod** ac yna roedd yn mynd i gwrdd â'i gariad ym **Mhortmeirion**.

Treigladau 5

1. **Phrynais** i ddim byd yn y siop.
2. Es i i'w **thŷ** hi i gael swper neithiwr.
3. Gwn ei fod o'n ei **charu** hi.
4. Costiodd y blodau mwy na **phymtheg** punt.
5. Roedd ei hwyneb mor llyfn â **phen-ôl** babi.
6. Siaradais â **phennaeth** yr amgueddfa.
7. Roedd tua **chant** o bobl yno.
8. Rwyf wedi dweud yr un peth wrthyt drosodd a **throsodd**.
9. Cafodd aelodau a **chyfeillion** y cwmni drama lythyr.
10. Aeth Eleri â'i **chi** am dro.

Atebion Treigladau 6

Wythnos nesaf, bydd bwyty newydd yn agor ei **ddrysau** yn fy **nhref** enedigol. Dim ond y cynnyrch lleol gorau **fydd** yn cael ei **goginio** yno yn ôl y rheolwraig. Mae hi'n awyddus i **gadw'r** prisiau mor rhesymol â **phosibl**, ond bydd hyn yn dibynnu ar ei **chwsmeriaid**. Os aiff digon yno, bydd y prisiau yn **fwy** rhesymol. Yn fy **marn** i, mae cynnig cynnyrch lleol organig yn sicr o **ddenu** oherwydd y dyddiau hyn, mae pobl yn ymwybodol iawn o'r amgylchedd a'r pellter y mae'r bwyd wedi teithio.

Rhagenwau a Threigladau 1

1. Gwelais i ei **frawd** e yn y ganolfan hamdden.
2. Mae dy **fam** di newydd adael yr ysbyty.
3. Ydy dy **deulu** di yn byw yn Aberaeron?
4. Mae ei **daid** o'n byw yng Ngogledd Iwerddon.
5. Torrodd e ei **goes** ar y cwrt sboncen.
6. Ydy dy **gerdd** di'n ddigon da i ennill gwobr?
7. Fydd dy **lun** di yn y papur newydd fory?
8. Ble mae ei **gyfrifiadur** e?
9. Ble mae dy **waith** cartref di?
10. Pryd cafodd dy **gi** di ei daro gan gar?

Rhagenwau a Threigladau 2

Ces i fy **nghyfle** cyntaf gan fy **nhad**. Rwy'n ei gofio'n fy **mherswadio** i ymuno ag ef yn y busnes teuluol ond ar y pryd roedd hynny'n groes i fy **nymuniad** i. Fy **marn** i oedd y dylwn i symud i ffwrdd i fyw er mwyn ehangu fy **ngorwelion**. Roedd fy **nghefnder** wedi mynd i'r coleg yn Llundain ac roedd fy **mrawd** wedi mynd i weithio efo fy **nhaid** ac aelodau eraill fy **nheulu**.

Rhagenwau a Threigladau 3

1. Cafodd ei **chyflog** hi ei dalu yn syth i'r banc.
2. Gwelais hi ar ddydd ei **pen-blwydd** hi.
3. Bydd hi'n gwneud y gwaith ar ei **thelerau** hi.
4. Byddaf yn ei **chroesawu** hi i'r derbyniad.
5. Pryd cafodd hi ei **phenodi**?
6. Ydy hi wedi talu am ei **thocynnau**?
7. Wyt ti'n adnabod ei **thad** hi?
8. Pwy sy'n ei **chasglu** hi o'r ysgol heno?
9. Ydy o wedi ei **pherswadio** hi i adael yn gynnar?
10. Wyt ti wedi gweld ei **char** newydd hi?

Rhagenwau a Threigladau 4

enw	fy + enw	dy + enw	ei (ben) + enw
tŷ	fy nhŷ	dy dŷ	ei thŷ
gardd	fy ngardd	dy ardd	ei gardd
gwyliau	fy ngwyliau	dy wyliau	ei gwyliau
teledu	fy nheledu	dy deledu	ei theledu (hi)

Rhagenwau a Threigladau 5

enw	fy + enw	dy + enw	ei (ben) + enw
cinio	fy nghinio	dy ginio	ei chinio
brawd	fy mrawd	dy frawd	ei brawd
pen-blwydd	fy mhen-blwydd	dy ben-blwydd	ei phen-blwydd
darlun	fy narlun	dy ddarlun	ei darlun

Priod-ddulliau/Idiomau 1

Diwrnod i'r brenin	diwrnod arbennig
Cymryd y goes	dianc
Y byd a'r betws	y byd i gyd
Cyn codi cŵn Caer	codi'n gynnar iawn
Heb siw na miw	yn dawel
Rhoi'r byd yn ei le	trin a thrafod
Yng ngyddfau ei gilydd	cweryla'n chwyrn
Wrth ei bwysau	cymryd ei amser, heb ruthro
Ar fy liwt fy hun	yn annibynnol
Ar bigau'r drain	yn gyffrous neu yn poeni

Priod-ddulliau/Idiomau 2

1. Gwisgais got law gan ei bod hi'n bwrw hen wragedd a **ffyn.**
2. Ni allaf ddeall ei lawysgrifen am ei fod fel traed **brain.**
3. Mae Wil wedi llyncu **mul** am na chafodd ei ddewis i chwarae rygbi.
4. Roedd arogl hyfryd y twrci yn tynnu dŵr o'm **dannedd**.
5. Ni allwn gofio'r ateb er ei fod ar flaen fy **nhafod.**
6. Roedd gan yr athro **chwilen** yn ei ben am dreiglo.
7. Rydw i wedi methu dysgu tablau ac wedi rhoi'r **ffidil** yn y to.
8. Mae rhieni Tomos wedi ei ddifetha a rhoi gormod o **raff** iddo.
9. Cefais lond **bol** ar swnian fy modryb.
10. 'Hollol gywir! Rwyt ti wedi taro'r **hoelen** ar ei phen!'

Priod-ddulliau/Idiomau 3
1. Chwarae teg i John, roedd wedi **gwneud ei orau glas.**
2. Nest enillodd **o drwch blewyn**.
3. Roedd popeth **blith draphlith** yn ei ystafell.
4. **O bryd i'w gilydd** byddaf yn mynd i weld ffilm.
5. Daeth y gwyliau i ben **ar amrantiad**.
6. Roedd **yn llygad ei le** pan ddywedodd y byddai'n glawio.
7. Dysgais Almaeneg **o dipyn i beth**.
8. Mae pob pysgotwr **yn ei elfen** pan fo mewn afon.
9. Dechreuodd ar ei daith **yn y bore bach**.
10. Roeddwn **uwchben fy nigon** pan enillais y gystadleuaeth.

Priod-ddulliau/Idiomau 4
1. Heddwyn yw **cannwyll llygad** ei dad.
2. Dim ond dau sy'n cael mynd i mewn **ar y tro**.
3. Cyrhaeddodd yn hwyr a'i **wynt yn ei ddwrn**.
4. Roeddem **ar bigau'r drain** eisiau cael yr hanes.
5. Mae Lois wrth ei **bodd** gyda'i brawd bach newydd.
6. Cwerylodd y ddau frawd **bob cam** o'r daith.
7. Aethant i ystafell y Pennaeth **fesul un**.
8. Mae hi am gychwyn busnes ar **ei phen ei hun**.
9. Roedd hi'n **draed moch** pan ddaeth yr athro yn ôl i'r ystafell.
10. Mae'r athro'n gwneud **môr a mynydd** o idiomau.

Priod-ddulliau/Idiomau 5
Ddydd Sadwrn aeth Dad a Mam i Abertawe i siopa a chefais aros adref ar **fy mhen fy hun** bach. Yn wahanol i Dad, oedd yn edrych yn **benisel**, roeddwn i **wrth fy modd**! Roeddwn yn mynd i gael **diwrnod i'r brenin**. Penderfynais aros yn fy ngwely yn chwarae gemau ar fy ipad o **fore gwyn tan nos**. Ond erbyn amser cinio roeddwn wedi dechrau diflasu. A dweud y gwir roeddwn wedi **cael llond bol**. Ffoniais Guto ac Elgan ond dim ateb, **dim siw na miw**! Doedd dim amdani ond mynd ar fy meic! Ond roedd ym mhen draw'r sièd a phopeth yn **bendramwnwgl** yno! Wedi ei gael allan es am reid o ddeuddeng milltir. Waw! Deuthum adref yn teimlo **ar ben y byd** ac yno'r oedd Dad **â'i ben yn ei blu** wedi cael diwrnod diflas o siopa!

Enwau 1

Agorodd y **lleidr** y **ffenest** yn araf a sleifiodd i mewn i'r **ystafell** enfawr. Roedd hi'n dywyll iawn yno, ond ble roedden nhw wedi rhoi'r **arian**? Agorodd y **cwpwrdd** cyntaf ond dim ond pum **silff** hollol wag oedd yno. Teimlodd ei **wres** yn codi. Teimlai'n chwilboeth, felly tynnodd ei **gap** a'i **fwgwd**. Wedi'r cyfan, ni fyddai unrhyw un yn y **siop** mor hwyr â hyn.

Enwau 2

1. Cefais lawer o **gynghorion** doeth gan fy rhieni.
2. Sgoriodd y mewnwr lawer o **geisiau**.
3. Cariodd yr asynnod y **llwythi** ar hyd y llwybrau creigiog.
4. Roedd llawer o **brydau** blasus yn y bwyty newydd.
5. Derbyniwyd deg o **geisiadau** am y swydd.
6. Torrodd y mewnwr ei **asennau** yn y ryc.
7. Cafodd y **personiaid** eu hordeinio yn yr Eglwys.
8. Defnyddiodd y saer y **llifiau** i dorri'r coed.
9. Bydd etholiad y **cynghorau** lleol yn cael eu cynnal yfory.
10. Mae hi'n fyr iawn ei thymer ar **brydiau**.

Enwau 3

Gwelodd y **bechgyn** a'r **merched** y **cŵn** a'r **cathod** yn chwarae yn **y gerddi**. Roedden nhw wrth eu bodd yn eu gwylio ond yna clywon nhw **synau** erchyll. Roedd **ceir** a **lorïau** yn sgrialu tuag atynt gan daro yn erbyn **tai** a **swyddfeydd**.

Enwau 4

Gadawodd y **forwyn briodas** y gwesty yn gynnar ac aeth i gartref ei **chwaer**. **Hi** oedd y **briodferch**. Wedyn, roedd rhaid galw am eu **cyfnither**. Ond, pan gyrhaeddon nhw'r tŷ, roedd mewn panig. Roedd **cynorthwywraig** y cofrestrydd wedi ffonio i ddweud y byddai'r cofrestrydd yn hwyr oherwydd damwain. Roedd plentyn wedi croesi'r ffordd ac roedd car wedi stopio'n sydyn gan achosi damwain. Roedd **gwraig** y gyrrwr wedi cael niwed difrifol, ac felly bu'r ffordd ar gau nes i'r ambiwlans gyrraedd. Roedd y **gantores** a'r **gyfeilyddes** oedd i fod i roi eitem yn ystod y seremoni hefyd yn y ddamwain ond diolch byth, ni chawsant niwed. Roedd rhaid gohirio'r seremoni am awr, ond cafodd fy **nith** fodd i fyw yn difyrru'r gynulleidfa.

Enwau 5

Rydym wedi penderfynu cystadlu yn sioe'r dref eleni, ac ar hyn o bryd mae fy **ngŵr** yn brysur yn paratoi **hwrdd, baedd, mochyn**, **tarw** a llo ar gyfer y cystadlaethau i ddechreuwyr. Cafodd fy **mab** y ffurflenni i'w llenwi gan **ysgrifennydd** y sioe ac mae'n rhaid **iddo** eu dychwelyd erbyn wythnos nesa. **Maer** y dref fydd yn cyflwyno'r gwobrau ac os enillwn ni, fy **nhad yng nghyfraith** fydd yn casglu'r wobr yn ei rôl fel aelod hynaf y teulu. Bydd yn teimlo fel **brenin** y sioe.

Enwau 6

Enw gwrywaidd unigol	Enw benywaidd unigol	Enw lluosog
pecyn bwyd	gwisg	llysiau
gwaith cartref	swydd	cysgodion
tocyn	ysgol	
sebon	blwyddyn	

Enwau 7

Enw gwrywaidd unigol	Enw benywaidd unigol	Enw lluosog
blodyn	cystadleuaeth	brodyr
crys	ffon	anrhegion
gwely	cerdd	dillad
		dyfroedd

Berfau 1

Yn ystod y gwyliau, rwyf wrth fy modd yn mynd allan bob nos ond yn ystod y tymor, **byddaf** yn ceisio bod yn gall. Ond mae eithriad i bob rheol achos y penwythnos nesaf **byddwn** ni'n mynd i Lan-llyn am ddwy noson. Rydyn ni'n siŵr y **byddet** ti a Dan yn hoffi cwrdd â ni yno. **Bydden** ni'n falch iawn i gael eich cwmni chi. Rwy'n meddwl y **byddech** chi'n ddwl i wrthod y cynnig ond **byddwch** yn ofalus ar y ffordd achos mae llawer o ddamweiniau wedi digwydd yn ddiweddar. Ar y bws y **bydd** fy ffrindiau eraill yn teithio a **byddan** nhw'n ein cyfarfod yn y gwersyll am chwech o'r gloch. **Byddwn** i'n hoffi mynd i fynydda ar y bore Sadwrn ond **byddai** yn well gan Gwen ganŵio.

Berfau 2

1. **Est** ti ar y trip i Baris y llynedd.
2. **(A) weloch/(A) welsoch** chi'r ffilm yn y sinema newydd?
3. **Talais** i am y bwyd ac mi **dalodd** John am y diodydd.
4. **Dywedaist/Dwedaist** ti y dylwn i wybod yn well.
5. **Clywon/Clywsom** ni dy fod ti wedi cael ysgoloriaeth.
6. **Cawson** nhw wobr am eu gwaith gwirfoddol.
7. **Gorffennodd** hi'r prosiect neithiwr.
8. **Daethon** nhw i'r ysbyty i fy ngweld.
9. **Penderfynais** i fynd i'r dref ar y ffordd adref.

Berfau 3

Cadarnhaol	Negyddol
Mae ef	**Nid yw ef/Dydy e ddim**
Byddi di	**Ni fyddi di/Fyddi di ddim**
Darllenoch chi	**Ni ddarllenoch chi/Ddarllenoch chi ddim**
Talaf i	**Ni thalaf i/Thala i ddim**
Roeddent hwy	**Nid oeddent hwy/Doedden nhw ddim**
Dylwn i	**Ni ddylwn i/Ddylwn i ddim**
Prynant hwy	**Ni phrynant hwy/Phrynan nhw ddim**
Rwyt ti	**Nid wyt ti/Dwyt ti ddim**
Cawsom ni	**Ni chawsom ni/Chawson ni ddim**
Byddech chi	**Ni fyddech chi/Fyddech chi ddim**

Berfau 4

1. (A) oeddet ti'n/Oeddech chi'n hwyr bore ddoe?
2. (A) fyddwn ni'n/Fydda i'n cael cinio yn y gwesty nos yfory?
3. (A) wnei di dalu am y tocyn parcio?
4. (A) gest/gefaist ti'r anrheg?
5. (A) oes arian yn y banc?
6. (A) ddylai adael yn gynnar?
7. (A) welon nhw'r ffilm?
8. (A) wyt ti'n/ydych chi'n byw yn Abertawe?
9. (A) ydynt/Ydyn nhw'n gwerthu'r hen adeilad?
10. (A) fydd hi'n bwrw glaw heno?

Berfau 5

Ddoe, **darllenais i** stori ar y we. Wedyn es **i i** nofio yn y dref efo fy ffrindiau. Ar y ffordd adref, **gwelon ni** fod ffilm newydd, gyffrous yn y sinema wythnos nesaf. **Roedden ni** eisiau mynd i'w gweld nos Sul ond **doedd** hi ddim yno ar nos Sul, dim ond o nos Lun i nos Sadwrn.

'Hoffech chi fynd nos Sadwrn?' **gofynnais i.**

'**Hoffwn/Hoffen**,' atebodd Nia. '**Ddylen** ni brynu tocynnau?'

'**Na ddylen**. Bydd digon o le yno ond **dylen** ni edrych i weld faint o'r gloch mae'r ffilm yn cychwyn.'

Ansoddeiriau 1
1. Doedd Dafydd byth yn fachgen **drwg**.
2. Wn i ddim beth ydy'r **gwaethaf** – mathemateg neu wyddoniaeth.
3. Lliw **tywyll** sydd yn gweddu i'r ferch.
4. Mae'r grŵp pop yma yn **amhoblogaidd** iawn.
5. Pwy sy'n mwynhau bwyd **chwerw**?
6. Tywydd **sych** gawn ni drwy'r haf mae'n siŵr!
7. Fyddi di'n gwisgo trowsus **hir** i fynd i lan y môr?
8. William ydy'r **talaf** yn y dosbarth
9. Bydd mam bob amser yn dweud bod fy ngwallt yn **anniben**.
10. Dŵr **glân** oedd gennym i olchi llestri.

Ansoddeiriau 2
1. Diddorol > **anniddorol**
2. Pleserus > **amhleserus**
3. Cysurus > **anghysurus**
4. Teg > **annheg**
5. Cyflawn > **anghyflawn**
6. Personol > **amhersonol**
7. Tebyg > **annhebyg**
8. Derbyniol > **annerbyniol**
9. Doeth > **annoeth**
10. Hapus > **anhapus**

Ansoddeiriau 3
Mor **goch** â thân
Mor **ddu** â glo
Mor **finiog** â chyllell
Mor **wyn** ag eira
Mor **felys** ag afal
Mor **dlawd** â llygoden eglwys
Mor **gryf** â llew
Mor **galed** â haearn
Mor **ystyfnig** â mul
Mor **syth** â phren mesur

Ansoddeiriau 4

1. Diflas > **diflastod**
2. Teg > **tegwch**
3. Coch > **cochni**
4. Du > **duwch**
5. Gwyrdd > **gwyrddni**
6. Tawel > **tawelwch**
7. Distaw > **distawrwydd**
8. Prysur > **prysurdeb**
9. Tal > **taldra**
10. Trist > **tristwch**

Ansoddeiriau 5

1. Defnyddia Menna **ormod** o golur.
2. Dydw i ddim **cystal** â Mam am goginio.
3. Mae fy mrawd yn **llai** na fi.
4. Mae gwyliau yng Nghymru yn costio **cymaint** â gwyliau yn Sbaen.
5. Roedd Ann yn dweud **pa mor** berffaith oedd Huw!
6. Mae Wil yn **fwy** na fi er ei fod yn iau o ran oed.
7. Erbyn hyn mae Mam-gu yn **llai** na fi!
8. Dychrynais pan glywais **pa mor** unig oedd hi.
9. Roeddwn wedi blino **cymaint** fel y cysgais ar fy nhraed.
10. Rhyw ddydd gallaf chwarae tennis **cystal** ag Andy Murray!

Ansoddeiriau 6

Annwyl Mr a Mrs Jones,

Yr wyf yn ysgrifennu atoch i gwyno am eich mab **hynaf**, Gwyn. Mae e'n meddwl ei fod yn **wynnach** na gwyn (Ha!Ha!) ond dydy e ddim. Mae e wedi mynd yn rhy fawr i'w sgidie ac yn meddwl ei fod yn **well** na neb arall yn yr ysgol. Dydy e ddim **cystal** â'i frawd mawr, Meic, mewn dim byd yn yr ysgol. Ddoe, pan ofynnodd Mr Saunders, ei athro mathemateg, am dawelwch yn y dosbarth parhaodd Gwyn i siarad ar ei draws yn **uchel**. Gofynnodd Mr Saunders yr eildro ond roedd Gwyn mor **bengaled** â mul. Dywedodd Mr Saunders wrtho **pa** mor bwysig yw cwrteisi a'i fod yn fachgen **annymunol** ac **anghwrtais.**

A wnewch chi gysylltu â fi **mor** fuan â phosibl os gwelwch yn dda i ni drefnu i chi ddod i'r ysgol i drafod ymddygiad **anghyfrifol** Gwyn.

Yn gywir,
Mr Fergus (Y Pennaeth)

Arddodiaid 1

1. Roeddwn i'n gweithio **mewn** parlwr hufen iâ.
2. Roeddwn i'n gweithio **mewn** canolfan ieuenctid.
3. Roeddwn i'n gweithio **yn** swyddfa'r heddlu.
4. Roeddwn i'n gweithio **mewn** cwmni adeiladu.
5. Roeddwn i'n gweithio **yn** Ninbych.
6. Roeddwn i'n gweithio **yn** yr ysgol gynradd leol.
7. Roeddwn i'n gweithio **yn** siop y pentref.
8. Roeddwn i'n gweithio **mewn** ysbyty.
9. Roeddwn i'n gweithio **yng** nghanolfan yr Urdd.
10. Roeddwn i'n gweithio **yng** nghefn gwlad Cymru.

Arddodiaid 2

Roedd hi'n byw ym mhen draw'r byd.
Does dim dirprwy ym mhob ysgol gynradd.
Rhoddais yr anrheg ym mhen pella'r cwpwrdd.
Roedd y bwthyn unig yng nghanol y mynyddoedd.
Rhowch y saeth yng nghanol y cylch.
Oedd teledu ganddynt ym mhob ystafell?
Aeth y plentyn ar goll yng nghanol y dref.
Mae hi wedi aros ym mhob gwesty yn y ddinas.
Mae'n rhaid bod yn deg ym mhob achos.
Wyt ti'n byw yng nghanol y ddinas?

Arddodiaid 3

1. Aethon ni i'r parti **hebddynt hwy**.
2. Wyt ti wedi clywed **amdani hi**?
3. Clywais i am y cwrs **drwyddynt hwy**.
4. Doedd dim pen tost **ganddi hi**.
5. Oedd annwyd **arni hi**?
6. Rwy wedi gwneud y gwaith **iddo fo**.
7. Peidiwch â phoeni **amdano fo**.
8. Cofiwch fi **atynt hwy**.
9. Wnei di dalu **drosom ni**?
10. Doedden nhw ddim wedi dweud **wrthynt hwy**.

Chwilio'r gwallau 1 – Atebion

Arddodiaid 4
1. Mae tua **phum** cant o blant yn yr ysgol newydd.
2. Roedd ganddynt **ddecpunt**.
3. Maen nhw'n byw **yng Nghaer** nawr.
4. Roedd gliniadur ar **fwrdd** y gegin.
5. Roedd o'n feirniadol iawn o **bawb** a phopeth.
6. Byddaf yn dy gefnogi drwy **ddŵr** a thân.
7. Roedd wedi ymateb i **bob** un o'r meini prawf.
8. Breuddwydiais am **wyliau** yn y Caribî.
9. Roedd fy nhrowsus newydd **yng nghanol** y dillad budr.
10. Es i'r sinema gyda **thair** o fy ffrindiau.

Arddodiaid 5
1. Wyt ti wedi dweud **wrth** dy dad?
2. Mae hi wedi gofyn **i** Mair fynd i'r siop.
3. Doedd hi ddim yn gwrando **ar** y deintydd.
4. Paid â gweiddi **ar** y plant.
5. Dylet fynd **at** y meddyg os wyt ti'n sâl.
6. Wyt ti wedi anfon neges destun **at** dy gariad?
7. Roedd e'n chwarae **dros** y Sgarlets y tymor diwethaf.
8. Ydyn nhw'n dianc **rhag** y llofrudd?
9. Ysgrifennais i e-bost **i** swyddfa'r heddlu.
10. Pwy sy'n gofalu **am** dy fam-gu?

Arddodiaid 6
Doedd hi ddim wedi clywed **am** y ddamwain nes i fi ddweud **wrthi**. Wrth gwrs, roedd rhaid **iddi** fynd i fusnesa wedyn. Gwelodd mai **ar y** gyrrwr roedd y bai achos roedd ei gar wedi mynd **dros y** clawdd ac i mewn i'r cae. Aeth i siarad **â'r** heddwas oedd ar ddyletswydd ond ni chafodd fawr o wybodaeth **ganddo.** Cyn bo hir, daeth hi adref i ddweud yr hanes **wrthyf** ond doedd dim diddordeb **gen** i yn yr holl beth. Roedd annwyd trwm **arna i** ac roeddwn i am fynd i'r gwely ar unwaith.

Geiriau Tebyg 1
1. Bydd y **flwyddyn** nesaf yn bwysig iawn i'r tîm rygbi.
2. Rwyf wedi bod yn byw yma ers dwy **flynedd.**
3. Dechreuodd e weithio yn y ffatri bum **mlynedd** yn ôl.
4. Byddaf yn gadael yr ysgol y **flwyddyn** nesaf.
5. Bydd fy mrawd i'n naw **mlwydd** oed yr wythnos nesaf.
6. Am sawl **blwyddyn** buest ti'n byw yn Sbaen?

7. Byddan nhw'n mynd i Lundain am benwythnos bob **blwyddyn.**
8. Roedden nhw wedi bod yn byw gyda'i gilydd am bum **mlynedd.**
9. Symudais i'r tŷ yma saith **mlynedd** yn ôl.
10. Rwyf wedi bod yn ddi-waith am **flwyddyn** nawr.

Geiriau Tebyg 2

1. Byddai hi wedi ennill y wobr **pe** byddai wedi dysgu'r geiriau'n iawn.
2. Gallen nhw gyrraedd mewn pryd **pe** bydden nhw'n gadael nawr.
3. Cei di fynd adre'n gynnar **os** byddi di'n dda.
4. **Os** bydd hi'n bwrw glaw yfory byddaf yn mynd i'r pwll nofio.
5. Byddwn i'n mynd i'r sinema heno **pe** byddai fy mam yn talu.
6. Fyddet ti'n prynu gêm newydd **pe** byddai digon o arian gyda ti?
7. Hoffen nhw fynd ar wyliau dramor **pe** byddai digon o arian ganddynt.
8. Baswn i wedi paratoi'n well **pe** baswn i'n gwybod eich bod chi'n dod.
9. Cofia ddweud wrthyf i **os** cei di neges destun ganddo.
10. Fydd hi'n flin **os** byddi di'n hwyr?

Geiriau Tebyg 3

Mae Catrin yn fwy **na chariad** i fi. Mae hi'n aelod o'r teulu a dyna pam roeddwn i'n meddwl bod gwell cyfle ganddi hi **nag** unrhyw un arall i gael gwaith yn swyddfa fy nhad. Dechreuais boeni pan welais ei bod yn fwy gofidus **nag** arfer. Wedi i mi siarad â hi, deallais nad oedd y panel wedi holi **na chyfeirio** at ei phrofiad blaenorol. Roedd hyn yn drueni achos rwy'n hyderus nad oedd ganddynt syniad **nac** ymwybyddiaeth o'i phrofiad. Wythnos yn ddiweddarach, derbyniodd lythyr yn ei gwrthod. Ni chafodd unrhyw reswm **nac** esboniad. Dywedodd nad oedd hi am apelio **na chwyno**. Penderfynodd nad oedd am fynd drwy'r broses honno **na** gwastraffu mwy o amser. Doedd dim mwy **nag** wythnos i fynd cyn y byddem yn hedfan i Awstralia a llai **na** diwrnod yn ddiweddarach, byddem yng nghartref ei thad.

Geiriau Tebyg 4

1. Rwy'n **adnabod** dy frawd di'n dda iawn.
2. Rwyt ti'n **treulio** gormod o amser ar dy ffôn symudol.
3. Mae'r lliw yna'n **gweddu** yn dda iawn i ti.
4. Mae'r athrawon **eraill** wedi mynd i'r gynhadledd.
5. Gwyrdd a **melyn** yw lliwiau'r clwb.
6. Mae fy llun i'n **waeth** na dy lun di.
7. Mae'r llyfr yma'n **wahanol.**
8. Roeddem yn chwerthin drwy'r nos. Roedd hi'n noson **hwyliog** iawn.
9. Roedd yr ap newydd yn **boblogaidd** iawn.
10. Pwy oedd yn siarad **â** ti yn y siop?

Geiriau Tebyg 5

1. Doedd hi **byth** yn siarad â fi pan roeddwn i'n iau.
2. Mae'n well i ti ddechrau gweithio neu fyddi di **byth** yn cael graddau da.
3. Dw i ddim wedi bod i Langrannog **erioed.**
4. Dwyt ti **byth** yn gwrando arna i.
5. Mae hi'n rhedeg llawer ond fydd hi **byth** yn gallu rhedeg marathon.
6. Dw i **erioed** wedi clywed am y bardd yna.
7. Welodd e mohoni hi **erioed** o'r blaen.
8. Doeddwn i ddim wedi bod i Lundain **erioed** o'r blaen.
9. Nid yw wedi cysgu'n hwyr **erioed.**
10. Fyddwn ni **byth** yn yfed coffi cyn mynd i'r gwely.

Geiriau Tebyg 6

1. Euthum **i'w** chartref hi neithiwr.
2. Aled Gwyn **yw** enw'r babi newydd.
3. Beth **yw** dyddiad ei ben-blwydd o?
4. Aeth yr athrawes **i'w** dosbarth cyn mynd i'r gwasanaeth.
5. Beth **yw** pris y llyfr yma?
6. Aeth ef **i'w** gweld yn yr ysbyty.
7. Mae gen i arian **i'w** thalu rŵan.
8. Beth **yw** teitl y llyfr?
9. Wyt ti'n gwybod pwy **yw** pwy?
10. Bydd hi'n mynd **i'w** gweld nhw nos yfory.

Geiriau Tebyg 7

1. Paid **â** gwrando ar dy frawd.
2. Dewch yma cyn gynted **â phosibl.**
3. Bydd llawer o feicwyr **a** cherddwyr yno.
4. Mae'n bwysig dysgu derbyn yn ogystal **â** rhoi adeg y Nadolig.
5. Oes papur **a phensil** gennych chi?
6. Mae brawd **a** chwaer ganddi hi.
7. Mae angen amynedd **a** dyfalbarhad i lwyddo.
8. Doedd hi ddim cystal **â** fi.
9. Oes tabled **a** ffôn clyfar ganddo?
10. Byddaf yn siarad **â** nhw yfory.

Geiriau Tebyg 8

1. Roedd y bwyd **a'r ddiod** yn ddrud yn y gwesty newydd.
2. Roedd y nofel **ar** y silff lyfrau.
3. Bydd y pennaeth, yr athrawon **a'r** disgyblion yn y cyngerdd.
4. Cyfatebwch y lluniau **â'r** geiriau.
5. Ewch **â'r** parsel i swyddfa'r post.
6. Aethon nhw i Lundain **ar** y trên.
7. Gwrandawais **ar** y nyrs.
8. Roedd y deintydd **a'r** plymwr yno.
9. Roedd dysgwyr yr ysgol gynradd **a'r** ysgol gyfun yn cystadlu.
10. Mae dydd Gŵyl Dewi **ar** Fawrth y cyntaf.

Geiriau Tebyg 9

1. Rwyt ti'n cael ugain punt yn dy bwrs. ✗
2. Mae hi gyda pum punt am y gwaith. ✗
3. Mae e gyda gwobr am ennill. ✗
4. Mae ganddo fo gur pen. ✓
5. Mae dwy chwaer a dau frawd ganddi hi. ✓
6. Oes gennyt ti waith cartref heno? ✓
7. Byddan nhw'n cael eu talu am werthu'r tocynnau. ✓
8. Roedden nhw'n cael teulu mawr. ✗
9. Mae cath fach ddu gen i. ✓
10. Dw i'n cael esgidiau newydd Nadolig diwetha.✗

Geiriau Tebyg 10

1. **Pe** byddet ti'n gweithio ar ddydd Sadwrn, byddai mwy o arian gennyt.
2. Mae o eisiau astudio **meddygaeth** yn y brifysgol.
3. Dw i **erioed** wedi clywed y fath ddwli.
4. Roedd dwy **fynedfa** i'r adeilad.
5. Beth **yw** hanes dy frawd erbyn hyn?
6. Peidiwch **â** bod mor ffôl.
7. Aeth hi ddim **â'r** plentyn i weld y meddyg.
8. Dw i ddim wedi gweld Darren **nac** Aled ers wythnos.
9. Bydd o'n gadael yr ysgol mewn dwy **flynedd**.
10. P'un **yw** dy lyfr di?

Cymalau 1

1. Roeddwn i'n amau **ei fod e** wedi dwyn yr arian.
2. Wyt ti'n deall **bod** chwarae gyda gwn yn beryglus?
3. Am **fy mod** i'n hwyr chefais i ddim lle i eistedd.
4. Dywedodd yr athro **bod** hylif yn y gymysgedd.
5. Oherwydd **ein bod** ni wedi ennill cawsom barti!
6. Ydych chi'n cofio **ein bod** ni'n gadael am saith o'r gloch?
7. Dydw i ddim yn credu **ei fod** e'n gallu siarad Cymraeg.
8. Mae Daniel yn gobeithio **bod** Delyth yn yr ysgol.
9. Efallai **ei fod** e wedi colli'r ffordd.
10. Am **eich bod** chi'n ifanc gellwch fwynhau eich hun.

Cymalau 2

1. Dywedodd Wil **nad oedd ei frawd** yn gas.
2. Efallai **nad oedd** digon o amser i orffen.
3. Does dim rhaid i ni fynd oherwydd **nad ydy/yw'r gloch** wedi canu.
4. Pwysleisiodd y Prifweinidog **nad oedd** arian ar gael.
5. Roedd y rhieni wedi gofyn a gofyn pam **nad oedd** help ar gael.
6. Mae Daniel yn gobeithio **nad ydy/yw/na fydd Stella** yn yr ysgol.
7. Am **nad oedd hi'n** hoffi Kevin anwybyddodd ef.
8. Dywedodd yr athro **nad oes** hylif yn y gymysgedd.
9. Rydw i'n meddwl **nad oes** nofel debyg i Cysgod y Cryman.
10. Mae Beth yn anhapus am **nad ydy/yw ei gŵr** gyda hi.

Cymalau 3

1. Eglurodd yr athro pam **nad oes** llawer o bobl yn byw yno.
2. Dywedodd **nad** Mercedes oedd y car.
3. Dywedodd y siopwr **nad oes** angen talu ar unwaith.
4. Dadleuais i **nad wyf** yn rhy hen i ddringo'r Wyddfa.
5. Roedd yn gwybod **nad oedd ganddo obaith** ennill.
6. Dadleuodd Meic **nad** Wrecsam oedd y tîm gorau.
7. Dywedais **nad oeddwn i'n** hoffi ei dillad.
8. Roedd e wedi dweud **nad oedd e** am fynd i Lanelli eto.
9. Efallai **nad** Ben sydd ar fai wedi'r cwbl.
10. Rydw i'n gwybod **nad ydw i'n** berffaith.

Cymalau 4

1. Dywedodd Sanjay **bod ei fam** wedi mynd allan.
2. Dadleuodd Arwyn **bod** Gary'n mynd i ennill.
3. Sibrydodd Nel **bod y** lle'n codi ofn **arni hi**.
4. Eglurodd Susan **ei bod hi** am fynd i'r sinema.
5. Dadleuodd yr athro **eu bod nhw'n/hwy yn** deall beth i'w wneud.
6. Eglurodd y Sbaenwr **ei fod ef/e/o'n** bwriadu aros yng Nghymru.
7. Dywedodd yr hen wraig **ei bod (hi) wedi gadael** y wlad am ei bod mor unig yno.
8. Protestiodd y disgyblion **eu bod** yn hollol sicr bod y stori'n wir.
9. Eglurodd y myfyrwyr **eu bod** yn gobeitho mynd i Gaerdydd.
10. Dadleuodd Howard **bod** gwersylla yn fath gwych o wyliau.

Cymalau 5

1. Am **fy mod i'n** byw yn y dref rhaid i fi gerdded i'r ysgol.
2. Chafodd Wilff ddim prynu cwrw **er ei fod** ef yn ddeunaw oed.
3. Achos **fy mod i'n** hwyr cefais gosb.
4. Am **ei fod** o wedi anghofio ei git chaiff o ddim chwarae pêl-droed.
5. Er **ei bod** hi ar ddeiet mae hi'n dal i bwyso pedair stôn ar ddeg.
6. Dydy e ddim yn bwyta cig achos **ei fod e'n** llysieuwr.
7. Mae'r hinsawdd yn newid oherwydd **bod y** byd yn cynhesu.
8. Er **ein bod ni**'n ailgylchu papur mae coed yn dal i gael eu torri.
9. Er **eu bod** nhw'n haeddu ennill doeddwn i ddim yn eu hoffi!
10. Rydw i'n caru fy mrawd bach oherwydd **ei fod** e'n ddoniol.

Cymalau 6

1. Roedd Huw wrth ei fodd **oherwydd ei bod hi'n** nos Wener.
2. Mae gennyf arian i'w wario **oherwydd fy mod i** newydd gael fy mhen-blwydd!
3. Cafodd y plant eu cosbi **oherwydd eu bod nhw** wedi torri ffenestr.
4. Rwy'n edrych ymlaen at fynd i Sbaen **oherwydd bod** merched pert yno.
5. Nid yw Gwyneth yn gallu mynd ar y trip **oherwydd ei bod hi'n** gweithio.
6. Mae gwm cnoi wedi cael ei wahardd **oherwydd ei fod yn** frwnt.
7. Chaiff ceir ddim gyrru dros 30 milltir yr awr yma **oherwydd bod** plant o gwmpas.
8. Bydd Malcolm yn bwyta llawer o gig **oherwydd bod** arno angen protein.
9. Does gen i ddim amynedd i weithio **oherwydd ei bod hi'n** rhy dwym!
10. Cewch fynd adre'n gynnar **oherwydd ei bod hi'n** mynd i fwrw eira.

Cymalau 7

1. **Rydw i'n meddwl eu bod nhw'n gymeriadau** gwan.
2. **Rydw i'n meddwl ei bod hi'n** nofel gyffrous.
3. **Rydw i'n meddwl ei fod e/o'n** llyfr anturus.
4. **Rydw i'n meddwl ei bod hi'n wers** ddiddorol.
5. **Rydw i'n meddwl ei fod e/o'n** arbrawf peryglus.
6. **Rydw i'n meddwl ei bod hi'n** stori drist.
7. **Rydw i'n meddwl eu bod nhw'n ddigwyddiadau** di-fflach.
8. **Rydw i'n meddwl ei bod hi'n** gêm undonog.
9. **Rydw i'n meddwl ei bod hi'n gerdd** lwyddiannus.
10. **Rydw i'n meddwl eu bod nhw'n ddisgyblion** cwrtais.

Cymalau 8

1. **Ar gae Sain Helen** mae'r gêm.
2. **Weithiau** bydd Alwen yn mynd i'r ysgol yn gynnar.
3. **Morgannwg fydd** yn chwarae criced yng Ngerddi Sophia bob haf.
4. **At Mam-gu a Tad-cu y** byddaf yn mynd i aros bob gwyliau ysgol.
5. **Fy mam sy'n** dod o Ogledd Cymru.
6. **Chwarae pŵl yw** fy mhrif ddiddordeb.
7. **Everest yw'r** mynydd uchaf yn y byd.
8. **Am hanner awr wedi wyth** mae'r ysgol yn dechrau bob dydd.
9. **Glas yw/ydy** cefndir y llun.
10. **Cefndir** y llun **sy'n** las.

Cymalau 9

1. Tra **oeddwn** i yn Majorca llosgais fy nghefn.
2. Os **wyt** ti'n gweithio'n galed cei ganlyniadau da.
3. Pan **welais** wiwer lwyd yn fy llofft dychrynais!
4. Tra **oedd** e'n bwyta ei frecwast canodd y ffôn.
5. Pan **oeddem** yn cael picnic dechreuodd fwrw glaw.
6. Os **gwela** i di yn yr ysgol wna i ddim cymryd sylw ohonot.
7. Cofia roi dŵr i'r tomatos tra **bydda** i i ffwrdd.
8. Tra **byddwch** chi'n gwneud yr arbrawf fe gaf baned o goffi.
9. Galwch i'm gweld os **cewch** gyfle.
1.0 Pan **oeddwn** yn fach roeddwn yn hoffi'r Simpsons.

Cymalau 10
1. Mae'n gwybod **y bydd** yn hapus gydag Eleri.
2. Wyt ti'n sicr **y cei** di amser da yn Sbaen?
3. Does dim amheuaeth **y caiff** ei ddal ryw ddydd.
4. Mae ffermwyr yn gobeithio **y cânt** fwy o grantiau.
5. Dywed gwleidyddion **y bydd** costau tanwydd yn gostwng.
6. Stuart yw'r cnaf **y** sonnir amdano ar y newyddion.
7. Mae'r proffwydi tywydd yn rhag-weld **y** bydd hi'n aeaf stormus.
8. Mae pobl ifanc yn byw mewn gobaith **y** bydd arholiadau yn cael eu dileu.
9. Gweddïa Daniel bob nos **y** bydd yn cael ei dderbyn i'r coleg.
10. Nofel wych yw 'Helo' **y** cyfeirir ati yn y cylchgrawn.

Cymalau 11
Mae fy nheulu yn dweud **fy mod i** yr un ffunud â'm tad-cu ond dydw i ddim yn ei gofio am **ei fod** e wedi marw cyn i fi gael fy ngeni. Maen nhw'n dweud **fy mod** yn debyg am **nad ydw/wyf i'n** hoffi dŵr! Ddim yn hoffi nofio maen nhw'n ei feddwl! Pan **oeddwn** i'n fach syrthiais i'r afon. Os **cofiaf** yn iawn dyna pryd y dechreuais ofni dŵr. Mae hyn yn anffodus braidd. Oherwydd **ein bod ni** fel teulu yn byw ar lan y môr rydyn ni'n mynd i'r traeth yn aml. Pan **fydd** pawb arall yn mwynhau eu hunain yn y môr byddaf yn teimlo'n unig am **nad ydyn nhw'n** cydymdeimlo gyda fi. Weithiau byddaf yn creu storïau am Tad-cu er **na wnes i** ei adnabod erioed.

Cwestiynau 1
1. Wyt ti wedi gorffen y gwaith cartref mathemateg?   Ydw.
2. Weloch chi'r ffilm neithiwr?   Naddo.
3. Oeddet ti a dy chwaer yn y grŵp?   Oeddem.
4. Fydd e'n sefyll ei arholiadau eleni?   Bydd.
5. Mae hi'n oer iawn heddiw.   Ydy.
6. Fydda i'n cael anrheg os enillaf i?   Byddi.
7. Welwch chi'r gêm nos yfory?   Gwelwn.
8. Roeddwn i'n ffôl i feddwl byddwn i'n llwyddo heb weithio.   Oeddet.
9. Mae tri arholiad ganddo wythnos nesaf.   Oes.
10. Oeddet ti'n hwyr eto?   Oeddwn.

Cwestiynau 2
1. **Fyddi di'n/Fyddwch chi'n** mynd i ffwrdd wythnos nesaf?
2. **Oeddet ti/Oeddwn i** wedi gweld y ffilm yna?
3. **Ydy** hi'n dod i'r ysgol ar y trên bob dydd?
4. **Fyddwn ni'n/Fydda i'n** cael gwaith cartref fory?
5. **Ddylet ti/Ddylech chi** wneud gwaith cartref bob nos?
6. **Oeddwn i'n** ddrwg iawn?
7. **Hoffech chi** fyw yn nes i'r dref?
8. **Fydda i'n** gallu mynd adre'n gynnar heno?
9. **Gest ti/Gefaist ti/Gawsoch chi** swydd ran-amser dros y gwyliau?
10. **Gawson nhw** sglodion i ginio?

Cwestiynau 3
1. Faint **ydy/yw** dy oed di?
2. Ble **mae**'r plant wedi rhoi'r pensiliau lliw?
3. Pwy **sy** wedi talu am y rhaglen?
4. Sut **mae** dy frawd yn mynd i Sbaen?
5. Beth **maen** nhw'n mynd i'w wneud heno?
6. Faint **ydy** pris y creision yma?
7. Pa ffrwythau **sy**'n dda i chi?
8. Pwy **ydy** cyflwynydd y newyddion rŵan?
9. Pryd **mae**'r sioe yn dechrau fory?
10. Pam **mae** cariad Dafydd wedi digio?

Cwestiynau 4
1. Faint **gawson** nhw am yr hen gar?
2. Pa lyfr oedd ar y silff lyfrau?
3. Sut clywodd hi am y swydd?
4. Sut **ddyn** yw e?
5. Pryd **gwelaist** ti'r ffilm?
6. Ble rhoddaist ti'r allweddi?
7. Beth **brynaist** ti yn y ffair?
8. Pwy roddodd ganiatâd i chi?
9. Pa **flodau** dyfodd e?
10. Pa **farc** gafodd hi am y traethawd?

Cwestiynau 5

1. Roedd hi'n oer iawn ddoe. **Oedd.**
2. Beth **fydd** o'n ei wneud yn Llundain?
3. **Dalodd** o am y gwyliau? Naddo.
4. Sut **fachgen** yw dy gariad newydd di?
5. Pryd **clywaist** ti'r newyddion?
6. Faint **gostiodd** y gwyliau iddyn nhw?
7. Pwy **ydy** pennaeth yr ysgol gyfun newydd?
8. Pam **mae'r** tywydd mor wlyb?
9. Mae ganddi hi gath fach wen? **Oes.**
10. Pwy **sy'n** gyrru yn rhy gyflym?

Elfennau Seisnig 1

1. Bydd fy mrawd a fi yn **golchi llestri** bob yn ail.
2. Byddaf yn **codi'n** hwyr bob bore Sadwrn.
3. Wyt ti wedi **chwilio** yn Wicipedia?
4. Cawson nhw eu **magu/codi** yn Lloegr.
5. Rydw i'n gobeithio **ail-wneud fy ystafell** yn ystod y gwyliau.
6. Mae e wedi **rhoi'r gorau i chwarae golff**.
7. Mae **codi pabell** yn waith caled pan fo hi'n wyntog.
8. Yn yr ystafell gelf disgwylir i bob disgybl **glirio**.
9. Wnaeth y grŵp ddim **cyrraedd** y gig o gwbl.
10. **Penderfyna**, wnei di!

Elfennau Seisnig 2

1. Mae'n wir **dweud**.
2. Rwyf wedi **darganfod** ble mae'n byw.
3. Penderfynais **orffen** y gwaith.
4. 'Balch **o** glywed!' meddai.
5. Dechreuodd Sian **ganu** pan oedd yn bedair oed.
6. Rhedodd nes ei fod **wedi colli ei** wynt.
7. Dywedais wrtho **am** fynd adref.
8. Roedd hi'n hyfryd **gweld** fy modryb ar ôl yr holl amser.
9. Penderfynodd y plismon **ei** holi.
10. Alla i ddim **datrys y broblem**.

Elfennau Seisnig 3

1. Mae llawer o bethau yn **digwydd** yn ein pentref.
2. Roedd yr hen wraig yn **ymlwybro** yn araf tuag at ei chartref.
3. Byddai'r athro cas yn **dilorni** ei ddisgyblion trwy'r amser.
4. Methodd ei arholiadau am iddo **dreulio** gormod o amser yn diogi.
5. Roeddwn yn **colli** fy mrawd pan aeth i'r coleg.
6. **Weithiau** bydd tywydd braf yng Nghymru!
7. Dylwn **ymweld** â'm nain yn amlach.
8. Collodd farciau am **ailadrodd** ei hun yn y traethawd.
9. Cefais ddamwain am na wnes i **sylwi** ar y car.
10. Mae'n gas gen i **sefyll** arholiad!

Elfennau Seisnig 4

Caerwrangon	Worcester
Caerlŷr	Leicester
Brynbuga	Usk
Llundain	London
Abergwaun	Fishguard
Yr Wyddgrug	Mold
Caer	Chester
Llanelwy	St Asaph
Caergybi	Holyhead
Aberteifi	Cardigan

Elfennau Seisnig 5

1. Saith Rhyfeddod Cymru
2. Eisteddfod Genedlaethol Cymru
3. Pencampwriaeth Rygbi
4. Y Gynghrair Uchaf
5. Siaradwyr Cymraeg
6. Aelod Seneddol
7. Aelod Cynulliad
8. Swyddfa'r Sir
9. Gwasanaeth Cymdeithasol
10. Gwasanaethau Cyhoeddus

Elfennau Seisnig 6

1. Yr Eidal
2. Ffrainc
3. Iwerddon
4. Cymru
5. Yr Aifft
6. Sbaen
7. Yr Alban
8. Patagonia/Yr Ariannin
9. Seland Newydd
10. Canada

Elfennau Seisnig 7

1. Dyfrdwy
2. Conwy
3. Taf
4. Hafren
5. Gwy
6. Yr Wyddfa
7. Bannau Brycheiniog
8. Eryri
9. Y Mynyddoedd Du
10. Pumlumon

Elfennau Seisnig 8

1. Dringo
2. Ysmygu/smygu
3. Dioddef/goddef
4. Curo
5. Mwynhau
6. Hedfan
7. Gwersylla
8. Dechrau/cychwyn
9. Gwthio
10. Anelu (at)

Elfennau Seisnig 9

Neithiwr teithiodd hanner cant o ddisgyblion ysgol ar gwch o Ddulyn i **Gaergybi**. Maen nhw wedi dod i weld Saith **Rhyfeddod** Cymru ac maen nhw am **ddringo'r** Wyddfa. Dydy'r athro mewn gofal, Mr McDonald ddim wedi **penderfynu** pa lwybr i'w gymryd eto ond dywedodd, 'Mae'n wir **dweud** y byddan nhw wedi blino ond chaiff neb **roi'r gorau iddi**, hyd yn oed os bydd hi'n tywallt y glaw! Ond, **yn y pen draw** yr hyn sydd arnyn nhw eisiau ei wneud ydy dod i ddeall y ffordd Gymreig o fyw a gweld sut mae plant Cymru yn cael eu **magu.** Felly, mi fyddan nhw'n **treulio'r amser i gyd/treulio'r holl amser** gyda theuluoedd.

Chwilio'r gwallau 2
Atebion

Tasg 1

Mae pobl ifanc yn gallu bod mor **anniolchgar**! Roedd criw o **ieuenctid** rhwng pymtheg a **deunaw** oed wedi mynd ar **wyliau** gwersylla yn Ffrainc. Er bod **ganddyn** nhw yr holl **fwyd** doedden nhw ddim yn **hapus**. Pam tybed? Bwyd **Ffrengig** oedd e! Doedd dim KFC na McDonalds **ym** mynyddoedd y Pyreneau! Felly, beth **wnaethon** nhw? Pwdu!

Tasg 2

Haia. Nodyn **sydyn.** Wedi trefnu mynd i **weld** ffilm **heno** os **ydy** hynny'n iawn gen ti. **Coda/Fe wna i dy godi di** am **bum munud ar hugain** i wyth. Iawn? Mae **gan** Carys annwyd felly mae hi am aros yn y **tŷ**. Bydd hi ar ei **pen** ei hun **bach.**

Tasg 3

Annwyl Tim,
Dim ond gair byr i egluro pam dw i wedi **dy adael di**. Rydw i am **fyw** fy mywyd i'r **ymylon** o hyn ymlaen. Does gen ti ddim syniad **pa mor** anodd oedd gwneud hyn. Cefais fy **mherswadio** gan Julie, **fy** ffrind. Dywedodd hi **fy mod i'n** byw bywyd diflas ac y **dylwn gael** profiadau **gwell** cyn **i** fi fynd yn rhy hen.
Hwyl
Marged

Tasg 4

DYDDIADUR
Dydd Gwener. Yn Ibiza rydw i nawr. Mae'r haul mor **llachar** a **thwym**! Roeddwn mewn bwyty ar fy **mhen** fy hun **pan** ddaeth criw o ferched draw a gofyn **a** oeddwn am fynd i'r disgo **gyda** nhw. Dywedais **fy mod i** am gael llonydd ond **roedden** nhw'n benderfynol! Wedyn roeddwn i'n falch fy mod i wedi mynd oherwydd **cawson** ni amser ffantastig! Edrych ymlaen at gael **dreulio** amser hwyliog gyda'r merched yna eto yfory!

Tasg 5

Oddi wrth:	rhidian@abc.com
At:	grug@bt.com
cc:	
Pwnc:	Ymddiheuriad

Gair byr i **ymddiheuro**. Doeddwn i ddim wedi meddwl **dy frifo**. Dim ond mynd i **Lundain** am benwythnos gyda'r bechgyn wnes i. **Doeddwn i** ddim gyda merch arall, wir i ti. **Yr holl** amser roeddwn i i ffwrdd **amdanat** ti roeddwn i'n meddwl! Wna i **byth** fynd i ffwrdd fel'na heb **ddweud** wrthyt ti eto. Wnei di **faddau** i fi? Rydw i dros fy mhen a'm **clustiau** mewn cariad gyda thi!

Chwilio'r gwallau 2 – Atebion

Tasg 6

COFNODION APÊL CAERIESTYN

7 o'r gloch, **nos** Fawrth, Mai 10fed

Presennol: Robin Owen, Sioned Davies, Meilir Llwyd, Owen Griffiths, Karen Birbley, Susan Thomas.

Ymddiheuriadau: Bethan Hughes, Gerallt Morris

1. Darllenwyd **cofnodion** cyfarfod mis Ebrill a chafwyd hwy yn gywir.
2. Roedd yr **aelodau** yn falch iawn o glywed am lwyddiant y Ffair Wanwyn. **Bydd yr** elw o £678 yn mynd tuag at adeiladu estyniad i'r cwt band.
3. Dywedodd Karen Birbley y bydd y cyngerdd roc yn **cael** ei gynnal yn Neuadd y Dref ac nid **yn** Neuadd Idris. Awgrymodd Sioned Davies y **dylid** gwahodd pobl ifanc lleol i helpu gyda'r paratoadau. **Cytunwyd** yn unfrydol i yrru llythyrau at glybiau ieuenctid lleol yn gofyn iddynt ddewis cynrychiolwyr i ymuno â'r pwyllgor.

Tasg 7

Ysgol Uwchradd Sant Ioan
Lerpwl
LL59 3DT

Annwyl Bawb,

Dim ond gair byr i'ch atgoffa am ambell beth am y trip i Oakwood:

* Bydd y bws yn gadael maes parcio'r ysgol am 7 o'r gloch ddydd Iau, **Gorffennaf** 17eg ac yn ôl tua 9 o'r gloch y nos.
* **Bydd** angen pecyn bwyd.
* **Cofiwch** fynd ar y bws cywir. Does gan neb hawl i newid bws.
* Ni chaniateir bwyta **nac** yfed ar y bysiau.
* Peidiwch â dod â **gormod** o arian gyda chi.
* Cofiwch **ddod** â chot law ac eli haul gyda chi.
* Os **ydych** yn cymryd meddyginiaeth rhowch hi i'r athro/athrawes i ofalu **amdani.**
* Bydd y bws yn ôl ym maes parcio'r ysgol tua naw o'r gloch.

Yn gywir

John Davies

(Dirprwy Brifathro)

Tasg 8

Mae pobl wedi bod yn agos **at** anifeiliaid erioed. Hela anifeiliaid am fwyd byddai dynion **cyntefig**. Yna daeth yn haws **magu** anifeiliaid **i'w lladd** nhw am fwyd. Roedd yr hen **Eifftiaid** yn addoli cathod. Roedd **gan** y dduwies Bastet ben cath **hyd yn oed**. Ond, yn anffodus **nid yw pobl wedi bod/dydy pobl ddim wedi bod** yn garedig wrth gathod bob amser.
Yn y ganrif ddiwethaf ceffylau oedd yn cael **eu** cam-drin fwyaf a hynny yn y **pyllau** glo a'r ffatrïoedd.

Tasg 9

Pam **mae** bechgyn bob amser yn hoffi ceir cyflym? Mae wedi bod felly ers cyn **cof** ac mae'n siŵr y bydd hi felly **am byth**. **Weithiau** mae'r bechgyn yn symud ymlaen i weithio gyda **cheir**. Mae pob bachgen yn **gwybod** enwau ceir, e.e. Mercedes Benz sy'n **dod** o'r Almaen. Ei symbol ydy seren gyda **thri** phwynt sy'n cynrychioli tir, môr **ac** awyr. Ar y **llaw** arall, car o Brydain ydy Jaguar a'r un mwyaf poblogaidd oedd yr *E Type* gafodd ei brofi ar yr M1.

Tasg 10

Mae gan Langollen lawer o hanes o'r **bont** sy'n dyddio'n **ôl** i'r **bedwaredd** ganrif ar ddeg dros afon **Dyfrdwy** i gamlas a **rheilffordd** o'r **bedwaredd ganrif ar bymtheg**. Mae yna hefyd olion o'r gorffennol **diwydiannol y gellir** eu harchwilio. Gellir gwneud **hyn** trwy fynd ar **deithiau** cerdded.

Tasg 11

HYSBYSEB
Camwch yn ôl mewn amser i brofi **drosoch** chi eich hunain y **pleser** o fynd ar gwch sy'n cael ei **dynnu** gan geffyl. Gwyliwch y pysgod yn nofio'n **ddiogiyd** wrth i'r **cwch** lithro'n **dawel** trwy'r dŵr clir. Bydd adar **ysglyfaethus** yn aml yn yr awyr a gellwch **eu** gwylio'n hofran uwchben. Ewch **â** bwyd **gyda** chi a mwynhewch bicnic yn heddwch y wlad.

Tasg 12

Prosesau Bywyd
Gellir rhannu popeth ar ein planed i **ddau** grŵp – pethau byw a phethau sydd ddim yn fyw. I weld **a** ydy planhigyn neu anifail yn fyw **ai** peidio mae'n rhaid chwilio am brosesau bywyd. Y **pum** proses gydag anifeiliaid ydy **symud**, tyfu, bwydo, defnyddio'r **synhwyrau** (**arogli,** gweld, blasu, cyffwrdd, gwrando) ac atgenhedlu. Gyda **phlanhigion** mae'n rhaid chwilio am dair proses bywyd sef tyfu, bwydo **ac** atgenhedlu.

Chwilio'r gwallau 2 – Atebion

Tasg 13
Dannedd
Pwrpas dannedd ydy torri bwyd yn **ddarnau llai** ac yna ei falu'n **fân** cyn ei lyncu.
1. Dylech lanhau eich dannedd o leiaf **ddwy** waith y dydd. Mae glanhau eich dannedd yn **rheolaidd** yn rhwystro plac **rhag** ffurfio ar eich dannedd ac yn atal bwyd a stopio bwyd **melys** rhag troi yn asid sydd wedyn yn gwneud tyllau yn eich dannedd.
2. Dylech ymweld **â'r** deintydd yn rheolaidd.
3. **Bwytewch** fwyd ffres fel moron amrwd ac afal i gadw **eich dannedd** yn iach.

Tasg 14
Nid yw'r ddaear **byth** yn peidio â symud o amgylch **yr** haul ac mae'n **cymryd** tri **chant** chwe deg a phump o ddyddiau **iddi** hi wneud hynny un waith, h.y. blwyddyn! Fel mae'r ddaear yn cylchdroi o gwmpas yr haul mae'r lleuad yn cylchdroi o gwmpas y ddaear. **Gwna'r** lleuad hynny mewn wyth niwrnod ar **hugain**. Bydd y **lleuad** yn llawn ar ôl **pedwar** diwrnod ar ddeg sef pythefnos.

Tasg 15
Dŵr yn Anweddu
Mae'r dŵr sy'n gorwedd ar wyneb y ddaear **mewn** afonydd a moroedd yn anweddu'n ddi-baid. Beth **sy'n** achosi'r newid hwn o hylif i nwy?
- Gwres **o'r** haul.
- Gwynt yn chwythu **dros** y tir a'r môr.
Mae'r anwedd dŵr yn codi, yn oeri ac yn troi'n gymylau **sy'n** cael eu gwneud o ddafnau bach o ddŵr. Wrth i'r cymylau gael **eu** chwythu i mewn i'r tir maen nhw'n codi'n **uwch** ac yn taro yn erbyn y mynyddoedd. Mae hyn yn eu **hoeri** ymhellach a **ffurfir** dafnau mawr o ddŵr sy'n syrthio fel glaw neu **hyd yn oed** eira.

Tasg 16
Problem fathemategol
Mae pris mynediad i blant i Barc Brychdyn yn **rhad** eithriadol sef £1! Wedi **hynny** mae pob reid yn costio £5.25. **Gall** oedolion fynd i mewn am £5 ac mae pob reid **iddyn** nhw yn costio £7.25. **Pe bai** teulu o **ddau** oedolyn a phedwar **plentyn** yn mynd yno a phob un yn **mynd** ar naw reid faint **o** newid **fuasai'r/fyddai'r** tad yn ei gael o ganpunt?

203

Tasg 17
Dyddiadur
Dydd Sadwrn, Gorffennaf 17eg
Diwrnod i'w **gofio**! Diwrnod priodas **fy** mrawd hŷn! **Roeddwn i'n** teimlo'n
anghyfforddus yn y siwt lwyd **a'r** tei mawr ond roedd pawb yn dweud **fy mod i'n**
wirioneddol waw! **Chefais i ddim/Wnes i ddim cael** cariad chwaith! Gyda'r nos fe
fues i'n dawnsio gyda fy **nghyfnither,** sy'n saith oed, **trwy'r** amser. Mae hi ddwy
flynedd yn **hŷn** na fi.

Tasg 18
Adroddiad Ysgol
Nid yw gwaith Meurig **cystal** ag arfer. Mae wedi bod yn ddiog yn **ddiweddar**. A dweud
y gwir mae wedi gorffwys ar ei **rwyfau** ym mhob pwnc **ar wahân** i addysg gorfforol.
Mae'n rhaid iddo sylweddoli **nad** ar chwarae bach y mae llwyddo ac os oes arno eisiau
mynd **i goleg/i'r coleg** i astudio chwaraeon **bydd** yn rhaid **iddo** fo ymdrechu'n **llawer**
caletach.

Tasg 19
Oddi wrth: dafydd.puw@cba.co.uk
At: erin.jones@bryngwyn.com, gwawr.2lewis@meinillwyd, a 23 arall
cc:
Pwnc: Clwb Ieuenctid
Mae neuadd y pentref yn cael ei **hadnewyddu** y **gaeaf** hwn, fel y gwyddoch.
Oherwydd hynny ni **fydd** yn bosibl **cynnal** y Clwb Ieuenctid yno. Rydym wedi bod mor
ffodus â **chael** defnyddio neuadd yr eglwys ond bydd yn rhaid **i** ni newid noson y clwb o
nos Lun i nos Fawrth. Er ein bod ni'n gwneud hynny **dydyn** ni ddim yn newid yr amser.
Bydd y cyfarfodydd yn dechrau am hanner **awr wedi** chwech fel arfer. Felly, cofiwch!
Nos Fawrth, Medi 6**ed**, 6.30 **o'r** gloch. Neuadd yr Eglwys.

Tasg 20
Portread
Er i **fy nhaid/i'm taid** gael ei **fagu** yn Llanberis wrth droed yr Wyddfa, mynydd **uchaf**
Cymru a Lloegr, fuodd o **erioed** i fyny'r mynydd hwnnw. Pam tybed? Wel, **dydw i
ddim yn gwybod/wn i ddim**! Efallai **nad oedd** cerdded neu **ddringo** mynyddoedd
mor **boblogaidd** ers talwm. Doedd o ddim yn ddyn diog, beth bynnag. **Byddai** o'n
cerdded **deng** milltir i weithio yn y chwarel bob dydd, haf a gaeaf.

Tasg 21

Agenda Pwyllgor
Clwb Y Dref
*nos Fercher 15**fed** Ionawr am 6.30 y.h.*

1. Croeso'r **cadeirydd**
2. **Ymddiheuriadau**
3. Cofnodion a materion yn codi o'r **cofnodion**
4. Ethol **swyddogion** newydd
5. Adroddiad ar **gyngerdd** Nadolig y clwb
6. Digwyddiadau'r gwanwyn
   a. Dawns Sant Ffolant
   b. Noson **Gŵyl** Ddewi
7. Derbyn gwybodaeth am **deithiau'r** haf
8. Unrhyw fater **arall**
9. Dyddiad y **cyfarfod** nesaf

Tasg 22

Aeth Rhodri i **dair** ysgol gynradd achos roedd **ei** rieni wedi gorfod symud i gael **gwaith. Weithiau**, roedd hi'n anodd gwneud ffrindiau ac roedd e'n teimlo ei fod **e dan anfantais. Doedd** e ddim yn hapus o gwbl pan oedd e **ym mlwyddyn** 6. Beth bynnag, mae pethau wedi setlo nawr. Mae e newydd symud i'r ysgol uwchradd ac mae wedi gwneud llawer o ffrindiau **da**. Mae e'n mynd i weld y gêm gyda dau **ohonyn** nhw **ddydd** Sadwrn ac yna **byddan** nhw'n mynd i gael bwyd ar y ffordd adre.

Tasg 23

1. Byddaf yn mynd i'r sioe achos dw i wedi cael tocyn yn **rhad** ac am ddim.
2. Roedd pawb yn cwyno bod **gormod** o waith ganddynt.
3. Doedd hi ddim yn gallu chwarae am **bythefnos** ar ôl iddi gael anaf.
4. Bydd hi'n gwisgo ei hoff **ddilledyn** i'r gig.
5. Roedden nhw'n cystadlu yn **neuadd y pentref**, rwy'n meddwl.
6. Roeddwn i'n siŵr **ei bod** hi wedi talu am fy nhocyn.
7. Glywaist ti **amdanyn** nhw'n colli'r bws ac yn cael lifft adre mewn lori?
8. **Gwelodd** Jessica y sioe neithiwr ac roedd hi'n dda iawn.
9. Pwy ydy dy hoff **fand** di?
10. **Ddylet** ti ddechrau adolygu heno?

Tasg 24

Theatr y dref

Archebu tocynnau

Gallwch chi **brynu** tocynnau ar ein **gwefan**. Mewngofnodwch yn www.theatrydref.cym ac ewch i'r adran 'Tocynnau'. Mae ffi o **bunt** am bob tocyn a **archebir** ar lein.

Gallwch hefyd gael tocynnau o'r swyddfa yn **bersonol** neu dros y ffôn. Mae ffi o hanner can ceiniog am bob tocyn a archebir dros y ffôn.

Dod o hyd i ni

Mae'r theatr yn yr hen **dref**. Gellir cerdded yno o'r ddau **faes** parcio sydd yn y dref. Hefyd, mae'r orsaf **drenau** yn gyfleus – dim ond pum munud ar **droed** ac mae'r bws yn aros o flaen y theatr. Mae'r theatr yn hygyrch a **chroesawgar** i bawb ac rydym yn ymroddedig i wneud eich ymweliad mor bleserus â phosibl.

Tasg 25

Hysbysiad Treth y Cyngor

Mae ardal y Cyngor Gwledig yn cynnwys deg pentref sy'n **amgylchynu'r** dref. Mae'n ymestyn dros ugain milltir sgwâr o Ben-y-Bryn i Gwm-bach. Mae'r Cyngor Gwledig yn cael ei ariannu mewn ffordd **wahanol** i'r Cyngor Sir. Nid ydym yn derbyn grantiau gan y Llywodraeth. **Rydyn/Rydym** ni'n dibynnu ar **dreth** y cyngor, incwm llogi, ffioedd ac ati.

Mae'r cyngor wedi cyllidebu i wario ar:

* neuaddau   £269,000
* **twristiaeth**   £25,000
* parciau   £254, 170
* gwasanaethau **eraill**   £123, 956

Mae rhai cyfnodau sy'n brysurach o ran gwariant **na'i** gilydd. Er mwyn medru dygymod â hyn mae angen cronfa wrth gefn. Bydd gennym tua **chwarter** miliwn yn y gronfa **hon** ar Fawrth 31ain.

Tasg 26

Mae cwricwlwm newydd yn cael ei addysgu ym Mlwyddyn 7 gyda **phwyslais** arbennig ar **lythrennedd**. **Mae'r** cynllun yn cwrdd yn llawn â gofynion y Llywodraeth. Bydd ein **hysgol** ni'n arwain y ffordd yn yr ardal ac erbyn diwedd tymor yr **haf**, **gobeithiwn** y bydd **cynnydd** y dysgwyr yn amlwg. Dros y **tair blynedd** diwethaf, mae'r ysgol hon wedi bod yn llwyddiannus iawn ac mae'r llwyddiannau hyn wedi **eu** nodi'n gyson yn y papur lleol.

Tasg 27

1. Byddwn yn **parhau** gyda'r prosiect yma y tymor nesaf.
2. Rwyf wedi gwisgo fy nhrowsus newydd **ac** rwyf i'n barod i adael rŵan.
3. Mae hi wedi **neilltuo** dydd Llun i farcio'r asesiad.
4. Anfonwyd **llythyr** at bob rhiant ddoe.
5. Mae hi'n byw y tu allan **i'r** dalgylch.
6. **Cynigiwyd** dau docyn rhad iddynt.
7. Anghofiais roi'r gwaith i'r athro mewn **pryd**.
8. Bydd rhaid i fi roi'r arian iddi cyn **dydd** Mawrth.
9. Byddwn yn ymweld **â'n** gefaill ysgol yn yr haf.
10. Os bydd un o fechgyn y tîm yn hwyr yn cyrraedd, caiff ei **adael** ar ôl.

Tasg 28

Mae gan lawer iawn o bobl ifanc broblemau bwlio. /Mae problemau bwlio gan lawer iawn o bobl ifanc. Mae **tyfu** gyda'r bwlio **parhaus** yn brofiad uffernol. Rwy'n dweud hyn am **fy mod i** wedi cael fy **mwlio** fy **hun** pan oeddwn i yn yr ysgol. Mae gan bob ysgol bolisi gwrthfwlio ond **dydyn** nhw ddim yn **glynu wrtho**. **Dylai** penaethiaid wneud mwy i stopio bwlio yn **eu** hysgolion nhw.

Tasg 29

Pan **oedden ni'n** ifanc, doedd dim dŵr na thrydan **gennym/gennyn ni** yn y **tai**. Roedd rhaid **i'n brodyr** gario dŵr o'r tap tu allan i'r drws. Fy **chwiorydd** oedd yn gofalu bod digon o olew yn y **lampau**. **Doedden nhw** ddim yn hoffi gwneud hyn ac un tro **anghofion nhw** ac roedd rhaid i **ni** fynd i glwydo'n gynnar. Does dim syniad **gennych chi** sut **gartrefi** oedd gan bobl.

Tasg 30

1. **Doeddwn** i ddim wedi darllen 'Cilmeri' o'r blaen.
2. Dyma'r llyfr. Wyt ti wedi clywed **amdano** fe?
3. Mae llawer o ddadlau **mewn** teuluoedd.
4. Mae hi wedi bod yn dysgu nofio am ddwy **flynedd**.
5. Wyt ti wedi gweld **y** ffilm eto?
6. Yn fy **marn** i, mae'r gerdd yn ddiddorol.
7. Pa gerdd **ysgrifennodd** Tudur Dylan?
8. Rwy'n meddwl y **byddai'n** well i ti adael.
9. Pwy **ydy** awdur y nofel?
10. Darlun arwynebol o **Gymru** sy yn y gerdd.

Tasg 31

Mae diddordeb wedi bod gen i mewn gwyddoniaeth ers yn ifanc. Dechreuais i ymddiddori **mewn pynciau gwyddonol** yn yr ysgol gynradd. **Byddwn** i'n hoffi gweld mwy o sylw i **wyddonwyr** o Gymru ar S4C. Mae cymaint o gyfoeth gwyddonol **gennym/gyda ni** yma ond **dydyn** ni ddim yn ymwybodol ohono. I ffwrdd o'r **labordy**, **bydda** i'n treulio llawer o amser yn coginio **a** hefyd yn canu.

Tasg 32

Oddi wrth: kevin.toms@cerdd.com
At: <u>pennaeth@ysgol.cym</u>
cc:
Pwnc: Ystafell gerdd

Annwyl **Bennaeth**

Hoffwn i i'r **plant** yn yr ysgol **gael** stafell gerdd. **Does** dim stafell gerdd gyda nhw i gael gwersi. Mae amrywiaeth **mawr** o wersi **offerynnol** yn yr ysgol ac mae **cymaint** o dalent yno. **Dydy** hi ddim yn deg bod **y plant i gyd** yn cael gwersi yn y coridor.

Yn gywir

K Toms

Tasg 33

Rydw i'n/Rwyf i'n/Rwy'n gweithio **mewn** gwesty bob nos Wener a nos Sadwrn. Mae'r gwaith yn **dechrau** am chwech **ac** fel arfer **byddaf** fi wedi gorffen erbyn hanner awr wedi **deg**.

Mae eisiau **ennill** arian **arnaf** fi i fynd ar drip **Blwyddyn** 10. Rwyf wedi cael swydd yn golchi llestri bob dydd Sadwrn a dydd Sul rhwng dau a **phedwar** o'r gloch.

Tasg 34

Annwyl Modryb Modlen

Dw i'n **ddwy** ar bymtheg oed **ac** mae gen i **broblem**. Dw i'n dew iawn. Dw i bob amser yn teimlo'n drist achos mae rhaid **i fi wisgo** dillad llac o hyd. **Pan** dw i'n teimlo'n drist dw i'n bwyta llawer o siocled.

Dw i eisiau colli **pwysau** ond fedra i ddim. Mae pawb yn meddwl **mai** problem merched ydy **bod** yn rhy **dew** ond mae bechgyn yn dioddef hefyd.

Sam

Tasg 35

Y dylanwad mwyaf ar fy **mywyd** i oedd fy **mam**. Treuliodd hi **flynyddoedd** yn mynd **â** fi o ymarfer i ymarfer ac o gêm i gêm. **Byddwn** i, fy mrawd a fy chwaer yn mynd i ymarferion bob penwythnos. **Weithiau**, rhwng y tri **ohonom/ohonon ni**, byddai hi'n gyrru can milltir mewn diwrnod. **Gwnaeth** hi sicrhau ein bod yn cael y gorau o bopeth a hebddi hi, **fydden** ni ddim wedi bod mor **llwyddiannus**.

Tasg 36

Bara Bendigedig

Rydym yn chwilio am **berson** ifanc i **weithio** yn y siop bob nos Iau a nos **Wener** rhwng **pedwar** a chwech o'r gloch **a** hefyd ar ddydd Sadwrn rhwng naw a **phump** o'r gloch. I wneud cais am y swydd **ysgrifennwch** lythyr **at y** rheolwr. Anfonwch **ddau** dystlythyr gyda'r cais os gwelwch yn dda.

Dyddiad **cau**: 23 Ebrill

Tasg 37

Ysbyty Bryngwyn

Ward y **plant**

Rheolau **cyffredinol**

- Mae'r **rhieni'n** gallu bod efo'r plant **drwy'r** amser.
- Mae pobl **eraill** yn gallu ymweld rhwng **dau** a phedwar o'r gloch.
- Dim chwarae **gemau** swnllyd a garw ar y ward.
- Cofiwch **fod** rhai **plant** yn sâl iawn ar y ward.

Tasg 38

1. Mae **costau** dilyn clwb pêl-droed yn ddrud ofnadwy.
2. Mae hi **eisoes** wedi penderfynu pa gwrs i'w wneud y flwyddyn nesaf.
3. Dylwn ymarfer yn fwy **rheolaidd**.
4. **Ymddiheurwn** am achosi trafferth i chi.
5. Mae tîm rygbi'r merched wedi ennill llawer o **gystadlaethau** eleni.
6. **Mae gen i ddiddordeb/Mae diddordeb gen i** yn y swydd rydych chi'n ei hysbysebu.
7. Nid oes unrhyw beth yn bwysicach na gofalu am blant **bach**.
8. Roedd y côr yn canu **pedair** cân.
9. Dyma'r gacen. **Gwnes** i hi neithiwr.
10. Mae'n rhaid i fam neu **dad** pob plentyn fynd i weld yr athrawes.

Tasg 39

Dw i eisiau cael y swydd yma achos **hoffwn** i gael y cyfle i weithio gyda **phlant** y Cyfnod Sylfaen. Mae gen i lawer i'w **gynnig** i'r ysgol achos **byddwn** i'n hollol **fodlon** rhoi amser i helpu gyda gweithgareddau ar ôl ysgol. Rwy wedi bod yn gweithio gyda Blwyddyn 4 am ddwy **flynedd** ac rwy wedi ennill llawer o **brofiad** erbyn hyn. Ond nawr, rwy'n barod **am** her newydd. Dw i'n hoffi bod gyda'r plant ac rwy'n mwynhau gofyn llawer o **gwestiynau** diddorol **iddyn** nhw.

Tasg 40

Etholiad y **Cyngor** Ysgol
Pleidleisiwch **dros** Jessica Jones

Dw i eisiau:
- sicrhau bod amgylchedd yr ysgol yn **lanach** efo biniau ailgylchu ym mhob ystafell **ddosbarth** ac ar y buarth
- stopio **gwaith** cartref ar nos Wener
- cael gwared ar **ymddygiad** treisgar o'r ysgol ac anfon pob bwli **adref** ar unwaith
- cael mwy o **ddewis** o fwyd yn y ffreutur – **dydyn** ni ddim eisiau salad a ffrwythau bob dydd.

Cofiwch – Mae gennych **ddwy** bleidlais.

Tasg 41

Athro:	**Sut** wyt ti'n teimlo wrth adael yr ysgol gynradd?
Gwilym:	Ychydig bach yn **gymysglyd**. Rydw i'n edrych ymlaen **at wneud pynciau** fel gwyddoniaeth a Ffrangeg ond rydw i'n nerfus.
Athro:	Pam **wyt ti'n** nerfus?
Gwilym:	**Mae arna i ofn** mynd ar goll achos **bod** yr ysgol uwchradd yn **llawer mwy** na'r ysgol gynradd.
Athro:	Oes rhywbeth arall yn dy **boeni**?
Gwilym:	Mi fydda i'n **colli fy ffrindiau i gyd/colli fy holl ffrindiau** a'r athrawon ond rydw i'n edrych ymlaen at wneud ffrindiau newydd.

Tasg 42

MABOLGAMPAU'R YSGOL

Eleni cynhaliwyd y mabolgampau ar **yr unfed** ar hugain o Fehefin. Tŷ Powys **enillodd** gyda 356 o **farciau**. Ceredigion oedd yn ail, Gwynedd yn **drydydd** a Phreseli yn **bedwerydd**. **Torrodd** Jason Griffiths record y naid hir. **Buasai/Byddai** Julie Sinclair wedi gallu torri record y naid uchel hefyd ond yn **anffodus** baglodd a **throi ei** ffêr (migwrn).

Tasg 43
Newyn
- Mae wyth cant a saith deg miliwn o **bobl** yn y byd yn newynu.
- Mae naw deg wyth y **cant** o'r rhain yn byw mewn gwledydd sy'n datblygu.
- Mae **pymtheg** y cant **ohonyn** nhw yn dioddef o ddiffyg maeth.
- Yn rhannol oherwydd diffyg maeth mae dau **pwynt** chwe miliwn o blant dan bump oed yn marw bob **blwyddyn**.
- Mae un o bob chwe phlentyn mewn gwledydd sy'n datblygu yn pwyso **llai nag** y dylen nhw.
- Mae un o bob **pedwar** plentyn yn y byd yn fyr iawn am **eu bod** nhw'n dioddef o newyn.

Tasg 44
Theatr y Pafiliwn
Sut i dalu am docynnau.
Yr ydym yn derbyn **y rhan** fwyaf o gardiau credyd. **Codir** tâl o 75c am bostio. **Dylid** gwneud sieciau yn **daladwy** i Theatr y Pafiliwn. Rhaid **talu** am bob sedd gadw o fewn **tri** diwrnod ar ôl archebu neu hanner awr cyn codi'r llenni, **pa un/p'run** bynnag a ddaw gyntaf. Yna **caiff** seddau cadw sydd heb **eu** cadarnhau eu **hailwerthu.**

Tasg 45
Diogelwch yn y Gweithdy
Ydych chi'n deall pam **mae'n** bwysig **gweithio'n** ddiogel mewn **gweithdy**?
Edrychwch ar y llun a'i drafod yn eich grŵp.
Sawl **peth anniogel** sydd yna? Rhowch gylch **o'u cwmpas** nhw.
Ar gyfer pob **enghraifft** dywedwch pam nad yw'n **ddiogel** ac yna sut **i'w** wneud yn ddiogel.

Tasg 46
Rheolau Labordy
Mae gweithio mewn labordy yn **wahanol** i weithio **yng ngweddill** yr ysgol oherwydd bod y siawns o ddamwain yn **uwch**. Er mwyn gwneud **y risg yn llai/lleihau'r risg** cadwch at y rheolau hyn:
- Dim gwthio **na** rhedeg
- Dim bagiau na **chotiau** ar y fainc na'r llawr
- **Peidiwch** â chyffwrdd tapiau nwy, soced drydan nac **unrhyw** offer heb ganiatâd
- Cyneuwch wresogydd Bunsen yn ofalus **gyda**'r taniwr cywir
- Dywedwch wrth yr athro ar unwaith os **bydd** rhywbeth yn torri.

Tasg 47
Tŷ Coch
Beth sydd gan Porthdinllaen **ym Mhen** Llŷn, Ynys Hayman yn Awstralia a Pensacola yn Florida yn gyffredin? Dyma ble mae **tair** o'r deg tafarn ar y traeth mwyaf poblogaidd y byd!

Agorwyd Tŷ Coch yn 1842 i fwydo'r dynion oedd yn adeiladu llongau ar y traeth. Mae'r dafarn mewn safle ardderchog gyda golygfeydd godidog o **holl** fynyddoedd Eryri.

Dim ond tua dau **ddwsin** o dai sydd yn y pentref a dim ond trigolion lleol gaiff yrru car **at y** dafarn. Rhaid i ymwelwyr gerdded ar hyd y traeth o Forfa Nefyn neu ar hyd y cwrs **golff**.

Ymlaciwch, cymerwch ddiod ac anadlwch aer pur y môr tra **bo'r** tonnau'n llyfu'r tywod wrth **eich traed**!

Tasg 48
Byddwch yn arwr arbed egni!
- **Diffoddwch y goleuadau** wrth adael ystafell.
- **Caewch** y llenni yn y nos i rwystro gwres **rhag dianc**.
- Gofynnwch **i'ch** rhieni ostwng gwres **eich** ystafell.
- **Dylai**'r thermostat dŵr poeth gael ei osod ar 60°C neu 140°F.
- Defnyddiwch **fylbiau** golau sy'n arbed egni er **eu bod** nhw'n rhoi llai o **olau.**

Tasg 49
Gwneud ein rhan
Gall pawb ohonom ni wneud ein rhan dros yr amgylchedd trwy sicrhau ein bod ni'n cofio pedair rheol ailgylchu Gwynedd:
- Bin brown – **unrhyw** wastraff bwyd o'r **gegin**.
- Bin olwyn mawr brown – gwastraff gardd **y gellir** ei gompostio.
- Blwch ailgylchu glas – papur, cerdyn, plastig, poteli **gwydr**.
- Bin olwyn **gwyrdd** – gwastraff cartref sydd ar ôl **sydd ddim yn gallu cael/na ellir** ei ailgylchu na'i gompostio.

Tasg 50

PARC **CENEDLAETHOL** PENFRO

- Mae'r Parc Cenedlaethol yn cwmpasu bron **holl** arfordir Penfro
- Ceir **ynddo** draethau tywodlyd, ynysoedd a **chlogwyni** garw, aberoedd coediog, tawel a mynydd-dir â **golygfeydd** gwych.
- Mae'r Parc **dros** 232.5 milltir sgwâr (602 km²).
- Ceir **pymtheg** Parc Cenedlaethol yn y Deyrnas Unedig. Arfordir Penfro yw un o'r rhai **lleiaf.**

Nid oes unman yn y Parc Cenedlaethol sy'n fwy na 10 **milltir/o filltiroedd** o'r môr. Yn y Parc **ceir** 13 o draethau Baner Las ac 13 o draethau Arfordir Glas.

Tasg 51

Llwybrau Beicio Dyffryn Tywi

Beth am **feicio** trwy **rai** o olygfeydd mwyaf trawiadol Prydain ac ymweld â rhai o'r cestyll mwyaf mawreddog **yng Nghymru**? Mae **pum** taith feicio **ar** gael yn ardaloedd **Llandeilo** a Llanymddyfri. **Amrywia'r** teithiau hyn o rai byr rhwydd ar hyd gwastadedd y dyffryn i rai hir ac anodd. Pa un bynnag **a ddewiswch**, byddwch wrth eich **bodd** yn cael cyfle i wirioni **ar** ogoniant cefn gwlad y dyffryn.

Tasg 52

DIM YSMYGU

Mae pobl yn **rhoi'r gorau i ysmygu** am sawl rheswm: fel awydd i wella **eu** hiechyd ac i arbed arian neu am bod **arnyn** nhw eisiau denu rhywun o'r rhyw arall.

Yn y **Deyrnas** Unedig mae un person yn marw bob pedwar munud oherwydd afiechydon sy'n gysylltiedig **ag** ysmygu, e.e. canser yr ysgyfaint, y **geg** a'r gwddf. Gall hefyd waethygu problemau'r frest ac alergeddau fel clwy'r gwair, yn ogystal â chael sgileffeithiau **annymunol** fel anadl drwg. Myth yw dweud bod ysmygu yn **gwneud i** chi golli **pwysau.**

Tasg 53

Cynigia Gwasanaeth Addysg Canolfan y Bryn:

- Sesiynau **arbenigol** i grwpiau **ac** ysgolion
- Taflenni gwaith wedi **eu** cynllunio yn arbennig ar **eich** cyfer chi
- Gwybodaeth **am** weithgareddau'r ganolfan a hanes **lleol**
- Arweiniad gan **bobl** broffesiynol
- Gwasanaeth **dwyieithog**
- Teithiau awyr agored fydd wrth eich **bodd** chi.

Tasg 54
Rysáit Toes Chwarae i Blant
Llawer rhatach **na** phrynu toes parod!

Cynhwysion
Un **llwy** fwrdd o olew
Dwy lwy de o 'cream of tartar'
Un llond cwpan o **ddŵr**
Hanner llond cwpan o halen
Un llond cwpan o flawd

Dull
1. Rhowch bopeth mewn sosban a'**u** cymysgu'n dda.
2. Gadewch **iddo** fe **oeri.**
3. **Rhowch** y cymysgedd mewn bag plastig.

Tasg 55
Y Mynachlogydd
Sefydlwyd llawer iawn **o'r** mynachlogydd rhwng yr unfed ganrif ar **ddeg** a'r **drydedd** ganrif ar ddeg. **Roedd** pob mynachlog yn **perthyn** i gymdeithas arbennig oedd yn cael ei galw'n urdd. Yr urdd fwyaf **pwerus** yng Nghymru oedd y Sistersiaid. Nhw wnaeth sefydlu mynachlogydd enwog fel **Ystrad Fflur** a Margam. **Gwisgai'r** mynachod wisg hir **a** llac o'r enw 'abid'.

Tasg 56
Bwriad y **gyfrol** *lechyd* **yw:**
- Helpu pobl ifanc i weithio **gyda'i** gilydd
- Helpu pobl ifanc i **roi'r gorau i ysmygu**
- Edrych ymlaen **at** y dyfodol
- **Annog** ieuenctid i greu perthynas iach **ag** eraill
- Delio â phroblemau **rhywiol**
- Codi **ymwybyddiaeth** o broblemau **cymdeithasol.**

Tasg 57
Roeddwn i'n **hoffi'r ddwy** stori **am** greulondeb i anifeiliaid ond **y stori 'Dal Llygod' oedd yr orau** oherwydd **bod** yr iaith yn **well.** Yn y stori 'Anghenfil' roedd **gormod** o **eiriau** anodd ac roedd hi'n **rhy** hir a **diflas.**

Tasg 58

Nodyn i Rieni

Hoffwn wahodd rhieni disgyblion blwyddyn 8 i ymweld **â'r** ysgol rhwng **pedwar** a chwech o'r gloch ddydd Llun, **Rhagfyr18fed**. Bydd cyfle i weld gwaith y disgyblion **ac** i ofyn **unrhyw** gwestiwn **i'r** athrawon. Os **oes** problem fawr gyda **phlentyn** bydd yr ysgol yn trefnu amser arbennig i weld y rhiant neu'r rhieni.

Tasg 59

Oddi wrth: huw.pritchard@ysgol.com
At: elinor.wms@werndeg.co.uk
cc:
Pwnc: Cyfarfod

Gorffennaf 5ed

Mae'n ddrwg **gen i/gennyf** am beidio **ag** ateb yn **gynt**. Y rheswm **yw fy mod i** wedi bod yn eithriadol o **brysur**. **Bob** gyda'r nos rydyn ni wedi bod yn adeiladu wal o amgylch buarth yr ysgol i gadw anifeiliaid gwyllt draw. Yn ystod y dydd, fel rydych chi'n **gwybod, yr wyf i/rydw i/rwyf i/rwy'n** dysgu!

Tasg 60

Dydd Gwener, Awst 10fed

Diwrnod **gwych** yn Sŵ Longleat! **Cyrhaeddon** ni am **bum munud ar hugain** i ddeg ac roedden ni wedi mynd trwy'r giatiau o fewn **deng** munud. Heblaw am y mwncïod, y **pryfed** oedd y **gorau** gen i! Dw i wedi bod yn hoff o **bryfed ar hyd** fy mywyd. **Aethom** i weld yr eliffantod ond roedden nhw o dan do oherwydd **ei bod** hi'n rhy boeth **iddyn** nhw.

Tasg 61

1. **Weithiau** mae llawer gormod o waith gennym.
2. Aeth y plant bach allan i **wylio'r** hwyaid ar y llyn.
3. Fedra i ddim dioddef ymddygiad **gwael** gan unrhyw un.
4. Wyt ti'n mynd i ymuno **â** nhw?
5. Roedd rhaid **iddyn** nhw fynd i weld y deintydd ddoe.
6. Pwy sy wedi **cyfrif** y losin?
7. Roedd dau **fachgen** cryf iawn yn y tîm eleni.
8. Wyt ti wedi bwyta **dy fwyd** ti?
9. **Pe** byddai plentyn yn ddrwg, byddwn i'n cael gair tawel â fe.
10. Dyma flas o'i **pherfformiad** hi.

Chwilio'r gwallau 2 – Atebion

Tasg 62

Gwesty'r Llan
Bwydlen amser brecwast

Dewis o'r canlynol:
- **sudd** ffrwythau – dewis o oren, grawnffrwyth neu binafal
- **te**, coffi, llaeth neu siocled poeth
- creision **ŷd**, miwsli neu uwd
- ffrwythau ffres
- cig moch, wy, selsig, bara saim, madarch, tomatos, ffa **pob**
- tost, bara gwyn neu **frown**, bara soda neu **gacennau**

Pris y brecwast yw £12.99. Mae ar gael rhwng saith y bore a **hanner** awr wedi naw o ddydd Llun i ddydd Gwener **a** rhwng wyth a **deg** o'r gloch ar y **penwythnos.**

Tasg 63

Es i i **ysgol gynradd** mewn **tref gyfagos**. **Byddwn** yn cerdded yno bob dydd achos doedd dim **car** gan **fy nheulu** bryd hynny. Pan **oeddwn** yn ddigon hen **dysgais i** yrru ond ni **chefais** gyfle i ymarfer llawer oherwydd nid oedd **gen i** ddigon o arian i dalu am **wers.**

Tasg 64

1. Mae plant bach yn dysgu **drwy** chwarae.
2. Derbyniwyd **gwybodaeth** ddiddorol iawn gan yr arweinydd.
3. Wyt ti wedi derbyn **cofnodion** y cyfarfod eto?
4. Rwy wedi gweithio **mewn** siopau mawr a bach ar benwythnosau.
5. Wyt ti'n hoffi'r **gwahanol** liwiau sydd yn y cwilt yma?
6. Ydy hi'n gwybod a **ydy** hi wedi ennill?
7. Roedd **pedair** cath ganddi.
8. Sut **byddech** chi'n sbarduno plentyn i ddysgu?
9. Brifodd hi ei **chefn** pan oedd hi'n marchogaeth.
10. Mae fy **nheulu** i'n dod o Fangor.

Tasg 65

1. Dyma'r blodau. Ydy hi wedi talu **amdanyn** nhw?
2. **Daeth** ef i'm gweld cyn gadael am y sioe.
3. Ar ddiwedd y cyfarfod **penderfynwyd** trefnu cinio diwedd tymor.
4. **Gwelodd** e'r ras fore ddoe o'i ystafell wely.
5. Rwy'n siŵr **hoffai** hi fynd i weld sioe yn Llundain.

6. **Bwytewch** eich cinio ar unwaith.
7. Rhoddodd hi anrheg hyfryd **iddyn** nhw.
8. Roedd tair chwaer **ganddi** hi.
9. Gwelais i lawer o **ddamweiniau** yn fy swydd fel parafeddyg.
10. Blant, **ewch** allan i chwarae rŵan.

Tasg 66
Nod chwaraeon yw cystadlu'n deg ond yn ddiweddar mae athletwyr wedi defnyddio cyffuriau i wella **eu** perfformiad. Mae hyn yn rhoi mantais annheg **iddynt** dros gystadleuwyr **eraill.** Os yw athletwr wedi cymryd ffisig at annwyd, ni **ddylai** gystadlu. Mewn cystadlaethau pwysig, mae llawer o brofi'n digwydd ond dydy pawb ddim yn cael eu dal. Fodd bynnag, os **byddan** nhw'n cael eu dal **bydd** cosb. Ond a oes digon o brofi? **Pe** byddai mwy o brofi byddai'r risg o gael eu dal yn fwy i'r twyllwyr. Efallai byddai pethau'n gwella wedyn. Dylai hyfforddwyr siarad **â'r** athletwyr am y broblem pan **maen** nhw'n ymarfer.

Tasg 67
Aeth Gwen i weld ei **thad** ar y ffordd adref o'i **gwaith.** Wedyn, aeth **hi** adref at ei **phlant**. Roedd rhaid **iddi** baratoi te iddynt yn gyflym achos roedden nhw eisiau mynd allan i'r clwb. Ar ôl iddynt adael, tynnodd ei **hesgidiau** ac eisteddodd o flaen ei **theledu** i ymlacio cyn dechrau ar ei **gwaith** tŷ. Doedd dim llawer o amser **ganddi** achos roedd rhaid bod yn y clwb erbyn wyth neu byddai'r plant yn disgwyl **amdani**.

Tasg 68
Atal heintiau rhag lledaenu
Mae germau yn cael eu lledaenu fel arfer ar ein dwylo. Y peth pwysicaf i'w wneud os ydych chi am atal heintiau rhag lledaenu yw golchi eich **dwylo**. Mae dau **brif** ddull o gadw'r dwylo'n lân:
• golchi dwylo efo **dŵr** a sebon – dyma sydd orau os **oes** baw ar y dwylo.
• defnyddio hylif llaw alcohol – mae'r hylif yn lladd bron pob germ mewn hanner **munud**.
Mae'n sychu'n naturiol ar y croen ac yn gyfleus os nad oes tap yn agos.
Dydy heintiau ddim yn cael eu **hachosi** gan faw. Germau neu firysau sy'n byw yn naturiol o'n cwmpas sy'n achosi haint. Maen nhw hefyd yn byw ar y croen ac yn y geg a'r trwyn. **Dydy'r** rhan fwyaf ddim yn achosi unrhyw niwed i ni ond os ydyn ni'n sâl, mae **amddiffynfeydd** naturiol y corff yn **wannach**. Dyna pam mae hylendid yn arbennig o bwysig ym mhob ysbyty.

Tasg 69

1. Bydda i'n ymuno **â** nhw yn y gweithgareddau.
2. Dechreuais i **ei ddysgu** fe bythefnos yn ôl.
3. **Sut** byddet ti'n disgrifio arddull yr arlunydd?
4. Cafodd **yr hen ddyn** lawer o wobrau am ei waith dyngarol.
5. Rydym am gael strydoedd mwy **diogel** yn y dref yma.
6. Peidiwch **ag** yfed a gyrru.
7. Mae pasta ar gael am cyn lleied **ag** ugain ceiniog mewn uwchfarchnadoedd.
8. Byddwn yn talu am glwydi newydd i **fynedfa** y ganolfan hamdden.
9. Ewch **â'r** arian i'r banc os gwelwch chi'n dda.
10. Does dim hufen iâ **na** siocled yn y siop heddiw.

Tasg 70

Pan oedd hi'n un ar bymtheg oed, **roedd hi** eisiau bod yn feddyg. Roedd rhaid **iddi hi** wneud profiad gwaith, felly **cysylltodd hi** ag Ysbyty'r Fro. Roedd y staff yno'n wych. **Cafodd hi** wythnos o arsylwi i ddechrau a **gwelodd hi** lawer iawn o wahanol glinigau. Y peth mwyaf cyffrous yn ystod yr wythnos oedd cael gwylio llawdriniaeth yn y theatr. Yn ystod **ei phrofiad** gwaith roedd cyfle hefyd i helpu'r nyrsys i wneud y gwelyau a chymryd a chofnodi pwysedd gwaed, tymheredd a phyls y cleifion. Wrth gwrs, roedd rhywun yn **ei gwylio** drwy'r amser.

Mae hi'n ddiolchgar iawn am y profiad gwaith. **Bydd hi** yn gweithio'n galed iawn yn yr ysgol nawr er mwyn cyflawni **ei huchelgais**.

Tasg 71

Iechyd llygaid

Ffordd dda o edrych ar ôl eich golwg **yw neilltuo** amser ar gyfer archwiliad llygaid yn **rheolaidd**. Mae profion rheolaidd yn medru dod o hyd i **broblemau** a datgelu ambell glefyd fel clefyd y siwgr a **phwysedd** gwaed uchel. Mae tîm o optegwyr **proffesiynol gennym/gennyn** ni i'ch helpu ac i sicrhau eich bod yn gweld cystal ag sy'n bosibl. Hefyd, **maen** nhw'n monitro unrhyw newidiadau i'ch **golwg** o flwyddyn i **flwyddyn**.

Tasg 72

I **gofrestru** fel cwsmer gwasanaeth **brys**, rhowch eich manylion mewn **llythrennau bras** ar y cerdyn **hwn**. Yna, plygwch y cerdyn **a'i** selio cyn ei anfon yn ôl **aton/atom** ni. Ffoniwch 0854 689 3875 **os yw'n** well gennych gofrestru dros y **ffôn** neu os oes gennych unrhyw **gwestiynau**.

Tasg 73
Pam gwnaeth e fe? **Mae e'n** gofyn y cwestiwn drwy'r amser. Roedd mor hawdd cael **ei demtio**. Pam na **wrandawodd e** ar **ei rieni**? Ddwy flynedd yn ôl roedd bywyd yn dda **iddo fe/iddo fo** ond yna **gwelodd e** Jenny. Roedd hi'n dlws ac yn ddoniol a doedd dim byd yn well **ganddo fe** na threulio amser yn ei chwmni. **Dechreuodd e** brynu anrhegion drud iddi achos **roedd e** dros **ei ben a'i glustiau** mewn cariad.

Tasg 74
Ein nod yw sicrhau **bod** pob person ifanc **yng Nghymru** yn cael addysg ar **adael** y cartref am y tro cyntaf **drwy** ddarparu cyngor ar y we. Rydym hefyd am ddarparu gwybodaeth am **ddigartrefedd** i ysgolion, colegau **a** sefydliadau eraill sy'n gweithio gyda **phobl** ifanc. Mae pobl ifanc yn gallu cael **mynediad** i help **gyda** thrin arian a sawl **mater** arall drwy ymweld â'r wefan.

Tasg 75
Ysgol y Cwm
Mai yr **ugeinfed**

Annwyl Riant
Bydd taith gerdded noddedig i ddysgwyr Blwyddyn **naw** yn gadael yr ysgol am **chwarter i ddeg** y bore ar ddydd Llun y **chweched** o Fehefin. Mae'r daith yn **naw milltir a hanner**. Bydd cyfle i orffwys yn neuadd y parc am **hanner awr wedi deuddeg/hanner awr wedi hanner dydd** a bydd brechdanau a diod ar gael i bawb. Bydd pawb yn ôl yn yr ysgol erbyn **hanner awr wedi tri** er mwyn dal y bysys am **chwarter i bedwar**. Bydd yr arian eleni yn mynd i gronfa'r bws mini. Mae angen casglu **saith mil o bunnau** eto cyn diwedd y flwyddyn.
Os ydych chi'n hapus i'ch plentyn fynd ar y daith, llenwch y ffurflen isod erbyn Mai y **degfed ar hugain** os gwelwch yn dda.
Yn gywir
A Jones
Pennaeth Blwyddyn

Tasg 76
Byddwn ni yn mynd i'r Eisteddfod wythnos nesaf. Dei a Jac yw enwau'r plant. **Byddan nhw** yn dod gyda ni ond Mam-gu fydd yn gofalu **amdanyn nhw** eleni. Bydd rhaid **iddyn nhw** fod ar y maes erbyn hanner dydd ond mae'n well **gennym ni** fynd i'r digwyddiadau nos. **Ddaeth hi ddim** i'r Steddfod llynedd ac roedd yr wythnos yn drychinebus. **Chawson ni ddim** cyfle i fwynhau achos roedd rhaid difyrru'r plant. Wrth gwrs, **roedden nhw** wrth eu bodd yn mynd o stondin i stondin ond doedd dim diddordeb **ganddyn nhw** mewn eistedd yn llonydd i wylio'r cystadlu. **Dydyn ni ddim** eisiau profiad tebyg eto.

Tasg 77

Pêl-droed cors

Dechreuodd athletwyr a milwyr chwarae'r **gêm** yn y Ffindir achos oedd yn help i gadw'n heini. Roedd y **gystadleuaeth** gyntaf yn y flwyddyn 1998 **pan** oedd 13 o dimau yn cystadlu. **Dydych** chi ddim yn chwarae ar **gae** ond mewn cors **chwe** deg metr o hyd a thri deg metr o led. Mae deuddeg chwaraewr mewn **carfan** ond dim ond **eu** hanner fydd yn chwarae ar yr un pryd. Mae timau dynion yn unig, merched yn unig a **thimau** cymysg.

Tasg 78

Roedd e wedi blino'n lân ac roedd **ganddo** ben tost ar ôl diwrnod hir yn y gwaith ond llwyddodd i gyrraedd ei **gartref** cyn i'w **dad** gyrraedd adref. Roedd hyn yn golygu bod digon o amser i baratoi pryd o fwyd i'r ddau ohonynt cyn y byddai'n rhaid **iddo** adael am ei **gampfa**. Wedi iddynt fwyta aeth allan yn ei **gar** bach coch ac ar y ffordd galwodd am ei **frawd.** Roedd wedi bwriadu mynd hebddo heno ond roedd neges ar ei **beiriant** ateb yn gofyn am ffafr. Doedd dim awydd **arno** wrando ar ei gwynion a dweud y gwir. Roedd brys **arno** ond ni fedrai ddweud hynny wrtho.

Tasg 79

1. am + hi = amdani hi
2. fy + cyfrifiadur = fy nghyfrifiadur
3. ein + ystafell wely = ein hystafell wely
4. i + hi = iddi hi
5. merch + tal = merch dal
6. bydd + chi = byddwch chi
7. dy + bod = dy fod
8. ar + ti = arnat ti
9. clywed + i + ddoe = clywais i ddoe
10. athrawes + caredig = athrawes garedig

Tasg 80

1. Ble mae'r dyn a **brynodd** y beic modur drud?
2. Gofynnodd i mi **a** fyddwn i'n gwarchod y plant heno.
3. Bydd rhaid i mi fynd **â'r** plentyn at y meddyg achos mae gwres uchel arno.
4. Does dim dysgwyr Blwyddyn 9 **na** Blwyddyn 10 yn yr ysgol heddiw.
5. Dim ond llysiau **a** gaiff eu tyfu yn y rhandir.

6. Bydd hi'n mynd i Gaer i siopa **ac** felly bydd yn rhaid iddi godi'n gynnar.
7. Ni **chyrhaeddodd** mewn pryd achos collodd hi'r bws.
8. **Cyflwynodd** y pennaeth anrhegion i'r athrawon a oedd yn gadael.
9. **Prynais i** ymbarél newydd i fynd i'r sioe.
10. Mae pawb yn y swyddfa yn gwisgo **bathodynnau.**

Tasg 81

Oddi wrth: gwenno@llecynclyd.com
At: lisa@brodawel.com
cc:
Pwnc: helo

Ddim wedi clywed **oddi wrthyt** ti. Wyt **ti'n** iawn? Es i siopa am **bethau** ysgol **gyda** mam heddiw. **Heblaw** am **hynny** arhosais yn y tŷ yn **chwarae** Minecraft. Wnes i ddim gweld NCIS **neithiwr**. Daeth Mam-gu yma a **chollais** ef! Roeddwn yn flin **dros** ben!

Tasg 82

Mam:	Mae hwyliau drwg iawn **arnat** ti! Pam?
Bethan:	Dydy **bywyd** ddim yn deg. Mae **fy ffrindiau i gyd** yn mynd dros y môr ar **eu gwyliau**!
Mam:	Rwyt ti'n mynd dros y môr hefyd – i Lydaw.
Bethan:	Ond maen nhw'n **hedfan**. Rydyn ni'n mynd mewn carafán!
Mam:	Meddylia **pa** mor braf fydd hi yn y meysydd gwersylla.
Bethan:	Hy! Mi fyddai'n llawer **gwell** gen i fynd i **rywle** fel un o ynysoedd **Sbaen**.

Tasg 83

GŴYL **HAF** TREGWYNT
Mehefin 15 – 22
Wythnos o **ddigwyddiadau at** ddant pawb o bob oed!
Bydd y **chwaraeon** yn **digwydd/cael eu cynnal** ar y meysydd chwarae ar lan afon
Hirwen ond bydd y gweithgareddau yn y **ganolfan** os **bydd** hi'n wlyb.
PINACL **YR** WYTHNOS:
Y CARNIFAL MAWREDDOG!
Y PARÊD YN CYCHWYN AM HANNER DYDD.
Am **fanylion** llawn ewch i: gwylhaf@btconnect.com

Tasg 84
Cerddi
Mae'r **ddwy** gerdd **am** natur ond maen **nhw'n** hollol wahanol. Yn 'Ar lan y môr' mae Tomos William yn dweud **bod** pobl yn **difetha'r** traeth gyda sbwriel ac mae e'n teimlo'n drist. **Dydy** Sioned Hywel ddim yn **drist** yn y gerdd 'Cael Hwyl'. Mae hi'n cofio mynd i **lan** y môr **pan** oedd hi'n blentyn a chael hwyl yn **pysgota** gyda rhwyd.

Tasg 85
Ffeithiau am Gwsg
- Mae pobl yn **treulio** tua **thraean** o'r diwrnod yn cysgu.
- Pan **fyddwn** yn cysgu rydym yn **breuddwydio**.
- Yn ôl yr **arbenigwyr** mae cysylltiad **rhwng** diffyg cwsg a gordewdra.
- Yn y **gaeaf** pan **nad oes** llawer o fwyd ar gael mae rhai anifeiliaid yn cysgu am wythnosau.
- Yn yr Unol **Daleithiau** mae diffyg cwsg yn amharu ar waith tri chwarter **y** myfyrwyr.

Tasg 86
Sut i Glymu Tei!
1. Ar y dechrau **dylai'r** pen llydan fod ar eich ochr dde a'r pen cul ar y chwith.
2. **Croeswch** y pen llydan dros y llall.
3. Dewch **â'r** pen llydan o **dan** y pen cul o'r chwith i'r dde **ac** yna drosodd o'r **dde** i'r chwith.
4. **Rhowch** ef o dan y cwlwm yn y canol.
5. Tynnwch ef i lawr gyda'r cylch y tu **blaen**.
6. Defnyddiwch un law i dynnu'r pen cul i lawr a'r **llaw** arall i **symud** y cwlwm i fyny nes iddo gyrraedd canol y goler.

Tasg 87
Sut i newid olwyn car
1. **Diffoddwch yr injian**.
2. Gosodwch yr olwyn sbâr ar y llawr wrth **eich** ymyl chi i fod yn gyfleus.
3. Datgysylltwch **drim** yr olwyn.
4. Byddwch **yn** ofalus wrth osod y jac yn ei le.
5. Codwch y car nes bod yr olwyn ychydig **uwch** na'r llawr.

6. Llaciwch foltiau'r olwyn a thynnwch yr olwyn yn **rhydd**.
7. Rhowch yr olwyn sbâr yn ei **lle**.
8. Gosodwch y bolt uchaf yn **gyntaf** ac yna'r lleill gyda llaw.
9. Peidiwch rhoi olew **arnyn** nhw neu byddant yn mynd yn llac.
10. Yn araf bach dowch â'r car i lawr nes i'r olwyn gyffwrdd â'r llawr a **thynhewch** y boltiau.

Tasg 88

FFRAINC
Prifddinas: Paris
Poblogaeth: 64.7 miliwn
Iaith: **Ffrangeg**
Diwrnod **Cenedlaethol**: Gorffennaf 14. Diwrnod coffáu'r **ymosodiad** ar y Bastille (1789)
Bwyd: Mae'r Ffrancwyr wrth **eu** bodd gyda chaws a nhw ddyfeisiodd y *baguette*.
Pobl enwog: Thierry Henry (**pêl-droediwr**), Juliet Binoche (actores).
Adeiladau enwog:
Tŵr Eiffel: Wedi ei enwi ar ôl ei bensaer sef Gustave Eiffel. **Cafodd** ei adeiladu yn 1889.
Notre Dame: Dechreuwyd adeiladu'r eglwys **hon** ar lan afon Seine yn 1163.
Tasg: Am **beth** mae Jean Monet yn enwog?

Tasg 89

Arian yn Broblem!
1. Yn eich cadw-mi-gei mae **gennych** chi un darn arian papur £50, dau **ddarn** arian papur £20, **pedwar** darn 50c a **thri** darn 2c. Faint **o** arian sydd gennych chi i gyd **gyda'i** gilydd?
2. Mae arnoch chi eisiau £60 i **brynu** chwaraewr CD. Mae gennych **bum punt ar hugain** yn barod ac rydych yn cael pum **punt** o arian poced yr wythnos. Sawl **wythnos** fydd hi'n ei gymryd i chi gael digon o arian i'w brynu?

Tasg 90

Jack the Ripper
Roedd Jac yn **llofrudd** enwog yn Oes **Fictoria**. Does neb yn **gwybod** pwy oedd e na faint o **bobl** wnaeth e **eu** lladd. Efallai **ei fod** e wedi lladd **tair** merch neuefallai **hyd at** ddeg. **Chafodd** e erioed ei ddal.

223

Tasg 91
Dr Who
Mae Dr Who wedi parhau am **fwy** o amser na'r un **rhaglen** ffugwyddonol (*science fiction*) arall yn y byd. **Dechreuodd** yn 1963. Arglwydd Amser ydy Dr Who ac **mae'n** teithio trwy amser a'r gofod mewn peiriant **o'r** enw Tardis. Ei **elynion** ydy'r Dalecs. Mae **un ar ddeg o actorion/un actor ar ddeg** wedi chwarae rhan Dr Who a'r **cyntaf ohonyn** nhw oedd William Hartnell. Ron Grainer **gyfansoddodd** y gerddoriaeth wreiddiol.

Tasg 92
Y Naid Awyr gyntaf
Cwestiwn:	Beth sy'n **digwydd gyntaf**?
Ateb:	**Caiff** y cit ei wirio.
Cwestiwn:	Ydw i'n eistedd yn yr awyren?
Ateb:	**Wyt**, wrth y drws, yna rwyt ti'n neidio!
Cwestiwn:	Pryd **rydw i'n** gwneud y cyfri diogelwch?
Ateb:	Ar ôl i ti **sefydlogi**. Wedyn rwyt ti'n agor y parasiwt trwy **dynnu** handlen y cortyn. Tynna'r 2 dogl i fynd yn **arafach** a **wyneba'r** gwynt. Glania gyda **dy** bengliniau wedi eu plygu.

Tasg 93
Masnach Deg
Oeddech chi'n **gwybod**?
- Mae 7.5 miliwn **o bobl** ar draws y byd yn **cael** mantais o arferion masnach deg.
- Mae naw deg y **cant** o'r bananas **o** Ynysoedd y Gwynt yn cael **eu** masnachu'n deg.
- **Cynyddodd** Masnach Deg werthiant eu **cynnyrch** yn y DU o £16.7 miliwn yn 1998 i bron £800 miliwn **yn** 2009.

Tasg 94
Tsunami 2004
Rhagfyr 26**ain** 2004, **ysgydwodd** daeargryn anferth **Gefnfor** yr India. Gwnaeth rwyg o dros chwe **chan** milltir o **hyd yng ngwely'r** môr a **chafodd** miloedd ar filoedd o dunelli o greigiau **eu** symud gannoedd o filltiroedd. Achosodd hyn tsunami a laddodd dros 230,000 o **bobl**. Cafodd miloedd eraill eu **hanafu** a'u gwneud yn ddigartref.

Tasg 95

Gwaith yn yr Awyr Agored

Mae Partneriaeth Awyr Agored Gogledd **Orllewin** Cymru yn hyrwyddo gwaith a hyfforddiant i **bobl leol** yn y sector awyr agored. Mae'r bartneriaeth yn **cynnig** rhaglenni preswyl **ym Mhlas** Menai, y Ganolfan Chwaraeon Dŵr **Cenedlaethol** a'r Ganolfan Fynydda Cenedlaethol. Bydd **deunaw** o bobl yn **rhan** o'r cynllun. Am **ragor** o wybodaeth **gweler**: www. partneriaeth-awyr-agored.co.uk

Tasg 96

Milltiroedd

Gofynnodd yr athro **i'r** dosbarth, 'Os **ydy/yw** 1 **filltir** yn 1.6903 km **faint o gilometrau/sawl kilometr** ydy **pedair** milltir ar ddeg?' Atebodd Iwan fel bollt, '19.312 km' **a** dywedodd, 'Atebwch chi hyn, syr. **Pe baech** chi'n teithio **deugain** milltir yr awr **faint o amser/pa mor hir** fyddai hi'n cymryd i chi deithio 128,44864 cilometr?'

Tasg 97

Mam:	Ble ar y ddaear wyt ti wedi bod?
Morgan:	**Doedd** dim CD ar **gael yn** y siop leol felly es i yr holl ffordd i'r dref. Roedd **gormod** o ddewis yno ac **roeddwn** yn cael trafferth i **benderfynu pa** un i'w brynu. **Penderfynais i brynu** chwech ac yna **doedd gen i ddim** arian i dalu am y bws ac roedd yn rhaid i fi gerdded adref.

Tasg 98

Pa **fudiad** sydd wedi gwneud **m/fwyaf** dros yr **iaith** Gymraeg? Gellid **dadlau mai**'r Urdd **yw** oherwydd bod miloedd o blant wedi **treulio gwyliau** trwy'r Gymraeg yng ngwersylloedd Glan-llyn a Llangrannog. **Dywed** rhai mai Mudiad y Ffermwyr Ifanc ydyw am **ei fod yn** rhoi cyfle i fwy o bobl ifanc.

Tasg 99

Gofalwn am ein Traethau

Mae'r sbwriel ar ein traethau wedi dyblu yn y **pymtheng** mlynedd **diwethaf.** Ymunwch **â/gyda** ni i glirio sbwriel yn **ystod** Penwythnos Glanhau'r Traeth, **Awst** 7-9, 2014.

Rydym yn disgwyl/Disgwylir i filoedd o wirfoddolwyr ddod at **ei** gilydd i glirio sbwriel o rai o draethau Cymru.

Os **ewch** i www.penglantr.co.uk **cewch** restr/**ceir** rhestr o'r traethau a gwybodaeth **am y** trefniadau.

Tasg 100

Athro:	Beth wyt ti'n ei wneud heno?
Ieuan:	Heno **rydw i'n** cyfarfod â'm **ffrindiau** ar y sgwâr. Rydyn ni'n **mynd** i weld y gêm bêl-droed rhwng Clwb y Cwm **ac** Adran y Felin. **Bydd** hi'n gêm allweddol oherwydd dyma'r **ddau** dîm sydd ar **frig** y **gynghrair** a bydd un yn cael dyrchafiad. **Dydw i ddim** yn dweud pa un ydw i'n ei gefnogi, **rhag** ofn!
Athro:	Dim gwaith cartref felly!